淘气包马小跳系列

JUREN DE
CHENGBAO

巨人的城堡

杨红樱 著

接力出版社
Publishing House

杨红樱
YANG HONGYING

杨红樱 YANG HONGYING

马小跳

唐飞

毛超

阿空

张达

巨人阿空

淘气包马小跳

阿空

毛超

唐飞

张达

马小跳

目录

马小跳的重大发现

　　马小跳、唐飞、毛超和张达四个人当中，只有马小跳去过高尔夫球场。他爸爸马天笑先生是高尔夫球俱乐部的会员，每周至少去打一次球，常常是周末去。以前，马天笑先生从来没有带马小跳去过，现在马小跳去过了，终于明白马天笑先生为什么不带他去：原来他爸爸去那里的目的根本不是打球，而是在那里会朋友，谈生意。球嘛，也打，胡乱一杆子，球飞到哪儿，他就不管了，反正有拾球的人。不谈生意、不会朋友的时候，马天笑先生也会认真地摆摆姿势，侧身，球杆高高举起，却是虚晃一枪，那个小白球在原地纹丝不动。

现在放暑假了，马天笑先生经常把马小跳带到高尔夫球场去，这让唐飞、毛超、张达羡慕不已。

"马……小跳，你现在会……打了？"

张达是体育项目的全能冠军，但就是不会打高尔夫球。他说话本来就结巴，"高尔夫"说不利索，干脆省去。

"当然。"马小跳死要面子，"这种球不学都会，就乒乓球那样的一个小白球，把它铲到小坑坑里就行了。"

其实，马小跳根本不会打高尔夫球，他连球杆都没碰过。马天笑先生怕放假把马小跳放懒了，把他带到高尔夫球场去，让他满场子跑来跑去地拾球，等于是强迫性运动。

马小跳并不想跟他们讨论高尔夫球，他是想告诉他们他的一个重大发现。可是，他们还在没完没了地问。

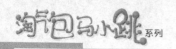

巨
人
的
城
堡

"马小跳，那些打高尔夫球的人，都是些什么人？"

在毛超的想象中，那些打高尔夫球的人，个个都是气宇轩昂、叱咤风云的人物。

马小跳白了毛超一眼，朝唐飞努努嘴："还不是都像唐飞他爸那样的人，挺着啤酒肚，举起球杆的时候，像正要起跳的青蛙。"

如果马小跳说的是人家的爸，唐飞一定会笑得打嗝，但说的是他唐飞的爸，唐飞就要转移话题了。

"马小跳，那高尔夫球场到底有多大？"

马小跳只知道高尔夫球场很大很大，线条优美的缓坡连绵起伏，仿佛碧波荡漾的海洋。

但是，马小跳真的不想再跟他们讨论打高尔夫球的是些什么人，也不想跟他们讨论高尔夫球场有多大，这一切都离他们的生活太远，他要急着告诉他们的是他的一个重大的发现。

"我在高尔夫球场边，发现一座房子。"

马小跳是在拾球的时候，发现这座房子的。

"房子？到处都是房子，有什么好奇怪的。"

"可是这座房子不是一般的房子，它的样子像一座城堡，门很高，窗子也很高，不像住人的房子，也不像厂房。"

"会不会是一座仓库？"

马小跳觉得仓库不应该修在这样的地方。他用三个杯子，来说明这座古怪的房子所处的位置。这是一个城乡交界的地方，这片广阔的地带，原来有一个汽车城，后来又新建了一个汽车城，还有一个高尔夫球场，这座古怪的、像城堡一样的房子就坐落在新建的汽车城和高尔夫球场之间，周围没有农田，也没有其他的建筑物，基本上可以说是一个人迹罕至的地方。

毛超说："在一个没有人的地方，修一座这样古怪的房子，非常可疑。"

唐飞说："这座房子会不会是关押人质的地方？"

唐飞的爸爸很有钱，唐飞经常想象有图谋他爸钱财的人，把他绑架了，关在一个黑屋子里，叫他爸出钱来交换人质。

"很有可能。"马小跳说，"这座房子前不挨村，后不挨店，如果把人质关在里面，叫天天不应，叫地地不灵，就是撕票了，也没人知道。"

马小跳说到"撕票"的时候，唐飞的眼睛都直了，他知道"撕票"的意思，就是绑匪把人质杀了。

张达说："这座房子，会不……会是藏武器……弹药的地方？"

"很有可能。"马小跳说，"这座房子修得像碉堡一样坚固结实，窗子那么高，就是怕别人看见里面装的是什么。"

毛超说："我倒觉得，这座房子像是生产毒品的地方。"

"很有可能。"马小跳说，"电视里都演了，生产毒品的地方，都是在偏僻的、隐蔽的地方。"

马小跳老说"很有可能"，唐飞对他很不满。

"马小跳，你有没有自己的脑子呀？人家说什么，你都说'很有可能'。"

"正因为我太有脑子，所以我发现事情的严重性。"马小跳危言耸听，"你们几个说的这几种情况，都存在着极大的可能性。"

"要不要报案？"

唐飞的胆子最小。

"报什么案呀！"马小跳拍拍胸脯，"我们几个就能破案。"

"怎么……破？"

张达也想破案。破案是既刺激又好玩的游戏。

马小跳一心要先把他的领导地位明确下来："这次行动，你们都得听我的！"

"凭什么听你的？"

其他三个人异口同声。

马小跳理直气壮："因为是我发现的。如果没有我的发现，你们破空气！"

想想马小跳说得也不是没有道理。

马小跳又说了："这次听我的，下次你们谁又发现了什么，我就听谁的。"

想想马小跳说得很有道理，大家同意听他的。

马小跳走马上任，正式下达指令："我们明天就去侦查那座房子，先弄清楚它到底是关押人质的，还是藏武器弹药的，还是生产毒品的。"

像城堡一样的房子

　　马小跳以为，只有他一个人带了望远镜，结果等人到齐了一看，唐飞、毛超和张达都带了望远镜。而且都是高级的、带皮外壳的、背在身上十分神气的那种。马小跳的心里就有点不是滋味：都有望远镜，到底谁是领导呀？

　　"你们根本就用不着带望远镜，简直是多此一举。"

唐飞不服："你能带，为什么我们就不能带？"

毛超的废话又来了："他这是只许州官放火，不许百姓点灯。"

马小跳大喝一声："你们还想不想破案？"

他们都想破案，所以不能让马小跳太生气。他一生气不带他们去那个地方，这案怎么破？他们跟着马小跳，上了一辆长途中巴车。司机问他们去哪儿。

马小跳根本不告诉他去哪儿："我让你在什么地方停，你就在什么地方停。"

司机看看他们四个，都是一副任重而道远、要去办大事的神态，身上还清一色地背着一个皮匣子，司机歪着嘴笑了笑：现在的孩子，搞不懂！

一路上，四个人也不说话，他们不能让车上的人知道他们是去破案的。

已经能看见绿色的高尔夫球场了，马小跳大叫一声："停！我们在这里下。"

中巴车在路边停下来，马小跳他们下了车。

烈日炎炎，路上没有一点遮阴的地方，路面被晒得滚烫，人走在上面，就像走在煎锅上一样。

"还有多远？"

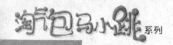

巨
人
的
城
堡

　　还没走几步，唐飞就吃不消了。

　　马小跳指指前面那一大片伸展得很远的绿草地："那不就是高尔夫球场吗？到了，已经到了。"

　　就像遇到了拦路鬼，眼看着是到了，但总也走不到。

　　"我们跑吧！"

　　破案的心情太急切，他们在烈日下奔跑起来。

　　"看看，那是什么？"

　　在一个并没有路的地方，却开出一辆车来。那叫什么车呀？四四方方，严严实实，像个集装箱。如果不是真真切切地看见它在开动，根本想象不出它是一辆车。

　　"这是什么车？"

　　他们都问唐飞，因为几乎没有唐飞不认识的车。

　　"没见过。"唐飞说，"这是一辆改装的车。"

　　"这车太怪了！"

　　这车是太怪了。马小跳警觉起来："这车是从哪里开出来的？"

　　都说右边。

　　"我知道是右边。可是，右边没有路呀！"

"怎么叫没有路？"毛超说，"走的人多了，就成了路。能开出车来，就是路。"

毛超这是套改了一句名言。

他们终于在草地上发现了轮胎碾过的印迹。顺着这条印迹走，走着走着，印迹没有了，却到了一座像城堡一样的房子的跟前。

"马小跳，你说的是不是这座房子？"

马小跳十分肯定地说："是这座房子，绝对没错。"

"那么还可以肯定，那辆可疑的车，也是从这里开出去的。"

毛超已经开始破案了。

一座可疑的房子配一辆可疑的车，还有比这更可疑的事情吗？

这座房子是用一种像岩石一样的大砖头砌成的，非常牢固，只有一道门和一扇窗。窗口开得很高很高，离地面起码有三米，他们根本不可能从外面看见里面。那道门也跟平常的门不一样，要高得多。

门紧闭着，连一道缝都没有。那窗又太高，怎么才能看见里面呢？

"有一个办法。"毛超说，"如果有一架梯子，放在窗口那儿……"

"废话！到哪儿去找梯子？"

马小跳站在窗子下，举起了望远镜。

"我看见那边有一个山坡。"

唐飞、毛超和张达都把背在身上的望远镜取出来，举在眼前。他们都看见了马小跳说的那个山坡。

"我们到那个山坡上去。"

他们跟着马小跳，跑到那个山坡上。那个山坡比可疑的房子高，马小跳又举起了望远镜，对着那个窗口。

"我看见了！"

"我也看见了！"

站在山坡上，借助望远镜，可以看见那座可疑房子的窗子里面。

首先进入他们望远镜里的是一张又高又长的床，有一米多高，至少有三米长。床上铺着巨大的床单，被子还没来得及叠，起码是一般被子的四倍大，枕头也像小山包似的。

"哇，世界上居然有这么大的床！"

"好像有人刚在床上睡过。"

"是什么人呀？不会是巨人吧？"

他们只在童话书上，看见过巨人。

床前有一张大台子，也有一米多高，比床还高，旁边还有一把椅子，也挺高的，特别是那椅背，高得不可思议——那是给什么人坐的呀？

大台子上放着几个汤盆，还有一筐土豆。他们推测，这又高又大的台子应该是一张饭桌，那几个汤盆应该是几个饭碗——毫无疑问，真的是有一个巨人住在这里。

那么巨人呢？

"他已经离开这儿了。"马小跳说，"刚才那辆怪车，就是巨人开的。"

巨人在汽车城

　　从望远镜里看到的情景判断，吸引马小跳他们几个要去破案的那座房子，显然与他们最初猜想的绑架人质、私藏枪支弹药和生产毒品这些勾当都没有干系，案是没得破的了，但马小跳他们并没有失望，他们发现这座房子里生活着一个巨人，他长什么样？他怎么生活？他为什么住在这里……无穷多的"为什么"，害得几个从来睡觉都像小猪一样的男孩，在这天晚上失眠了。

第二天，他们比头一天更早地在车站集合了。到达那个能看见巨人房子的山坡的时候，他们看见那辆像集装箱一样的汽车，果然停在那里。

"巨人肯定在房子里！"

他们掏出望远镜，还没来得及举在眼前，那车已经启动了。

"快追！"

马小跳他们从山坡上冲下来，那车正好拐了个弯，上了大路。

追了一段路，两条腿毕竟跑不过四个轮子，唐飞最先捂着肚子，说他不行了。接着，马小跳和毛超也不行了。能够和汽车赛跑的只有张达。

张达穷追不舍。

过了一会儿，张达又跑回来了。

"我看见他进了汽……汽车城。"

"他去汽车城干什么？"

"他长什么样子？"

张达一脸茫然，这一切，他都没有看见。他只看见那车拐进汽车城，就急着跑回来告诉他们。

马小跳说："他现在肯定还在汽车城里，我们一定能够把他找到。"

这是一座新建的汽车城，占地面积比高尔夫球场还大。他们刚进去，就被两个穿制服的保安拦住了："站住，小孩！你们进去干什么？"

"买汽车。"

唐飞大摇大摆往里走，根本不理那两个保安。

"喂……喂……"

保安还是要拦他们。

"喂什么喂？难道这地方不是卖汽车的吗？"

"可是，你们小孩子……"

"小孩子怎么啦？"唐飞模仿他爸财大气粗的样子，"谁规定小孩子不许买汽车？你们经理呢？"

一位好像经理模样的人，三步并做两步来到他们跟前。唐飞问他："你就是这里的经理吗？"

"我是经理的助理，请问需要我为各位做什么？"

"你们这里是不是不卖汽车给孩子？"

经理助理狠狠地瞪了两个保安一眼，然后用训练有素的姿势示意："欢迎各位光临！请！"

17

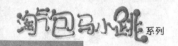

巨人的城堡

在唐飞的带领下，他们昂首阔步地进了汽车城。

汽车城里一共有三个大展场，一个展场摆满了各种各样的越野车和跑车；一个展场摆满了各种各样的轿车；一个展场摆满了各种各样的房车。

三个展场都找遍了，他们没有发现那个巨人。

马小跳问张达："你真的看见那辆车开进来了？"

"真的……绝对是真……真的。"

唐飞揩着满头大汗："难道这个巨人有隐身术？"

毛超有了新发现："那里还有一道门。"

他们朝那道门冲去，原来这是汽车城的一道侧门。再一冲，便冲出了汽车城。

隔着马路，对面还有一座汽车城。

"我不是告诉过你们吗？"马小跳无所不知的样子，"这里有两个汽车城，一个老的，一个新的。这边是新的，那边是老的。"

张达激动起来，一激动，他的舌头在嘴里就更转不动了。

"他……他一定是从这门出去，进了……那……

那门。”

他们十分顺利地进了老汽车城的大门，没有保安拦他们。

这里也有几个展场，摆放的汽车跟新汽车城的汽车差不多。不同的是，这里似乎比新汽车城的人气旺，只看了一会儿，他们便知道是什么原因了——原来这里有几位漂亮得无可挑剔的美女，在展场里走来走去。

张达问见多识广的唐飞："她……她们是干什……么的？"

"车模。"唐飞说，"就是给汽车做广告。"

"车模会不会开车？"

"会不会开都不重要，重要的是要会卖车。"

说起生意经来，唐飞是一套一套的。他见一位穿红皮衣、红皮裤的车模从他们身边走过去，忙叫道："小姐！小姐！"

红皮装小姐回头一笑，灿若桃花："先生，有什么事吗？"

她居然叫唐飞"先生"，而且是大着舌头叫的，毛超在一旁捂着嘴笑。

"我向你打听一个人。"唐飞大模大样地说，"你看见过一个巨人吗？"

"去，一边去！"

嘿，这红皮装车模的脸变得真快耶！刚才还灿若桃花，不到一分钟，便冷若冰霜。

这时，展场里的人开始往外走，一个接一个，越走越多。不一会儿，展场里只留下那几个漂亮的车模，人都走光了。

马小跳他们六神无主，跟着那些人，出了老汽车城，又进了新汽车城。那些人都往一个展场跑，就是那个摆放越野车、小跑车的展场。

"到底发生了什么事？"

马小跳拉了毛超一把："快走吧，去看了不就知道了吗？"

刚走进那个展场，马小跳他们几个全傻了——那个巨人就在这里。

巨人的名字叫阿空

　　因为巨人在这里，把所有的人都吸引了来。

　　巨人像一尊顶天立地的雕像，耸立在展场中央。他周围的那些汽车，无论是豪华气派的房车，还是酷味十足的越野车，还是标新立异的小跑车，和他在一起，都成了小巧玲珑的玩具车。

　　巨人开始讲解每一种车的性能。他的声音洪亮，语调缓慢，他随便往哪辆车旁边一站，那辆车立刻显得十分可爱玲珑，马上就有人签下订单。

马小跳他们一直跟着巨人，他们的身高只到巨人的大腿那里，张达算他们当中最高的了，也只到巨人的屁股那里。他们看巨人，要仰着头，一直仰着，脖子已经酸了。

巨人每天的出场时间是一个小时。在今天的这一个小时里，他卖出一辆房车，两辆小跑车，三辆越野车。

巨人退场了，人们也像潮水退潮一样退去了，展场里一下子便冷清了许多。

退场后的巨人是怎么消失的？对马小跳他们来说，简直就是一个谜，他们的眼睛几乎没有离开过巨人，巨人是怎么消失在他们视线里的？

毛超甩甩脑袋："我好像是做了一场梦。"

"怎么会是一场梦呢？"马小跳说，"我还拉了他的手。"

真的，马小跳刚才悄悄拉了拉巨人的手。他的手好大啊，像一把蒲扇。又看见了那位仪表堂堂的经理助理。唐飞大模大样地走过去问他："那个巨人呢？"

经理助理彬彬有礼地回答："对不起，他走了。"

"他到哪儿去了？"

经理助理还是彬彬有礼地回答："对不起，我不能告诉你们。"

"为什么？"

"对不起，他不想让人知道他在什么地方。"

"他叫什么名字？"

"对不起，他不想让人知道他的名字。"

"我们想跟他交个朋友。"

"对不起，他不想跟人交朋友。"

这位彬彬有礼的先生，一口一个"对不起"，嘴却紧得很，是个"笑面虎"。

"走，快走啊！"马小跳把大家拉走，"我们不是知道他的家吗？我们到他的家去等他。"

他们从展场里出来，张达磨磨蹭蹭地跟在后面，他发现一幅巨大的广告牌的背后，居然是一条通道。

"回……回来！"

听到张达的叫声，大家都往回跑。

他们跟在张达的后面进了通道，通道不是很长，很快便出来了，眼前是一片荒草地，那辆像集装箱一样的车，也停在那里。

"巨人的车？"

"没错，是他的车。"

他们一步一步地朝那辆车靠拢，走近了一看，巨人不在驾驶室里。

"怪了！"唐飞说，"车在这里，人又会到哪儿去呢？"

"别出声！"毛超把耳朵贴在车厢上听，"里面好像有声音。"

这个车厢有一座房子大，严严实实，密不透风，从外面根本不可能看见里面。

"这车厢里会有什么东西？"

"肯定是许多好吃的东西。"

张达问唐飞："好吃的东西怎……怎么会发出声……音呢？"

"张达，你真的是四肢发达，头脑简单。好吃的东西招老鼠啊！"

唐飞对张达说话，总是用教训的语气。

"呵呵哈……"

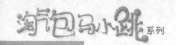

巨人的城堡

有人在车厢里笑。

紧接着，从车厢里传来更大的响声。密封得如罐头一般的车厢，突然亮出一道门来，巨人出来了，可他脸上一点笑容都没有，刚才是他在笑吗？

巨人坐在门口，他的身子把门堵得满满的，两条腿伸开来，像两根长长的柱子。

"谁说我是老鼠？"

语气还是那么缓慢，听不出他是生气，还是不生气。

"他！"马小跳指着唐飞，"他说车厢里有老鼠，他不知道你在里面，你一点都不像老鼠。"

"你叫什么名字？"

巨人看着马小跳，他的两只眼睛隔得很开，鼻子又长，这使他的脸看起来有点像马脸。

"我叫马小跳。"马小跳把唐飞、毛超和张达往巨人跟前推，"他是企鹅唐飞，他是猿猴毛超，他是河马张达。"

"你呢？"

巨人一向不喜欢跟人打交道，但不知为什么，他一下子喜欢上了马小跳：这孩子太好玩了！

"他是淘气包马小跳。"

唐飞、毛超、张达三个人异口同声。

"淘气包马小跳？"巨人的头一直点着，嘴里一直嘟囔着，"淘气包马小跳……淘气包……"

马小跳问："巨人叔叔，你叫什么名字？"

巨人装做没听见，目光从马小跳的脸上移到张达的脸上，又从张达的脸上移到唐飞的脸上……

"这不公平！"马小跳提高了嗓门儿，"我们都把我们的名字告诉了你，你也应该告诉我们。"

巨人的嘴紧闭着。

"你不告诉我们，是因为你高人一等吗？"

巨人终于开口了："你们为什么到这里来？"

"我们来找你。"

"找我干什么？"

"和你交朋友。"

"怎么找到我的？"

"广告牌后面有一条通道。"

那条通道是专门为巨人开辟的，为的是避开那些围观巨人的人。除了在展场一个小时的工作时间里，巨人必须与人打交道外，他最怕的就是人，怕他们用异样的目光看他，怕他们用奇怪的思维想他，怕他们不把他当人，怕他们把他当怪物。所以，他宁愿与世隔绝，把自己关在城堡一样的房子里，关进密封得像罐头一样的车厢里。

"你们觉得我是一个怪物吗？"

"你不怪，你不怪！"马小跳急得上气不接下气，"你只不过比我们高。"

"对，比我们高。仅此而已。"

真的是仅此而已吗？

巨人已经感觉到了，这几个孩子看他的眼光，真的跟其他人不一样。他们的眼睛清澈、纯净。

巨人告诉他们，他的名字叫阿空。

瘫痪的狗和遍地乌龟

　　"你们想看看我的房车吗？"

　　"哇，你也有房车？"

　　房车很昂贵的，马小跳他们以为，只有很有钱很有钱的人才会拥有房车。

　　"这就是我的房车。"巨人阿空一起身站起来，把他挡住的那道门亮出来，"请进去参观吧！"

　　门开得太高，像飞机的舱门，他们根本上不去。

巨人阿空把他们一个一个地抱进去。

里面真大啊！一张又长又大的床首先映入他们的眼帘，还有带水龙头的洗脸池、做饭的灶台、放食品的柜子，柜子上趴着一条狗，一条奶咖啡色腊肠狗。

"哇，怎么还有一条狗？"

"它是我最忠诚的朋友。惟一的朋友。"

巨人阿空把狗抱起来。在他巨大的手掌中，腊肠狗显得特别小。

马小跳问："为什么你只跟狗做朋友？"

"我们同病相怜。它是一瘫痪的狗。它和我一样，人们都会用异样的目光来看我们。"

那条瘫痪的腊肠狗，从腰部以下完全没有知觉。它走起路来特别费劲，是用两条前腿向前爬，拖着它那超长的身躯和两条后腿。日子长了，腊肠狗的腹部和后腿都被地面磨烂了。

巨人阿空给瘫痪的腊肠狗取了个名字叫"拖拖"。腊肠狗拖拖瞪着一双惊恐的眼睛，马小跳伸手想摸摸它，它一甩脑袋，大叫一声，吓得马小跳赶紧缩回了手。

"它是害怕。"巨人阿空说，"除了我，它几乎

巨人的城堡

就没有见过人。它以为人都是像我这样的,所以在它的眼睛里,你们都是怪物。"

马小跳他们都想知道,巨人阿空是怎么遇上这条腊肠狗的。

"我第一次看见它的时候,它还是一条小狗。"巨人阿空用一只手掌托着腊肠狗,"有一天早上,我穿鞋的时候,发现这条狗正在我的一只鞋子里。"

"它怎么跑到你的鞋子里去的?"

"是呀,直到现在我还纳闷呢!"巨人阿空说,"这条狗基本上不能走路,最多能爬几步。再说啦,我住的地方周围是一片荒地,没有人家,它是从哪儿来的?"

这真的是一个谜。

从外面看,这个集装箱一般的房车,四面都是密封的,好像没有窗,其实它的窗是开在顶上的,所以车厢里面也是亮亮堂堂,顶上挂满了用各种颜色的易拉罐做的风铃,都是巨人阿空自己做的。车厢的四面墙上,贴满了篮球明星姚明的大照片,都是从报纸上、画报上剪下来的。

"阿空叔叔,你为什么没有像姚明那样去打篮球呢？"

"不是每一个高人都可以成为姚明的。"巨人阿空的脸上有掩饰不住的失落，"我像你们这么大的时候，差不多就有一米七高了，家里人都以为我会成为篮球明星，我也以为我会成为篮球明星。我的个子，铆足了劲似的疯长，十八岁那年，身高已有二米四九。这时，我的腿出了毛病，走路、站立的时间超过一个小时，就会痛，必须坐着或躺在床上。"

哦，是这样的。马小跳他们明白了，为什么巨人阿空出现在展场上只有一个小时。

巨人阿空的这辆房车，是汽车城专门为他设计改装的。他说这辆房车是他的第二个家，一天二十四小时，除了在展场上的那一个小时，巨人阿空不是在那个像城堡一样的家呆着，就是在这个像密封箱一样的家呆着。他不逛街，不去商场，更不去公园，他怕极了人们看他的目光，那座城堡一样的房子和这辆房车，可以让他把自己密封起来。

毛超的嘴快，他告诉巨人阿空，他们早就知道他的家在哪里。

巨人阿空不相信："没有人知道我的家在哪里。"

"我们真的知道。"马小跳说,"我带他们去的,离这儿不远,就在高尔夫球场那里。"

"谁告诉你的?"

"我自己发现的。"

唐飞、毛超都证明,是马小跳自己发现的,不是别人告诉他的,巨人阿空这才放下心来。他说如果马小跳他们能够保守秘密的话,他可以带他们去他家玩玩。

马小跳带头,每个人都向巨人阿空发了誓。

巨人阿空驾着他的房车,向他的城堡驶去。

马小跳他们四个人,横七竖八地躺在巨人阿空的床上,从天窗那里,可以看见蓝天白云,就像看电影一样。

汽车一开动,那些吊在顶上的易拉罐风铃便丁丁当当地响个不停。

没过多久,车停了下来,巨人阿空在外面敲着车厢:"到家了,出来吧!"

马小跳他们像伞兵从飞机的舱门往下跳一样,一个接一个地从车厢的门里跳了下来。

巨人的城堡

跟着巨人阿空进了那座像城堡一样的房子，马小跳他们又惊呆了：遍地是乌龟。

"你们好吗？我回来啦！"

巨人阿空居然露出了笑脸，这是马小跳他们第一次看见他笑。他小心地迈着步，怕他巨大的脚踩着他的宝贝乌龟。

"阿空叔叔，这些乌龟是你养的？"

"它们是来串门的。"

"串门？"

这太离奇了！

离奇的故事是这样发生的——

有一天，巨人阿空到汽车城去，忘记关门了。他出门的时候，还晴空万里，阳光灿烂，可刚到汽车城，便乌云滚滚，接着电闪雷鸣，下起了瓢泼大雨。雷阵雨过后，巨人阿空回到家里，一进门就看见遍地乌龟——这些不速之客。所以，巨人阿空说它们是来串门的。

阿空太寂寞了，他希望这些串门的乌龟永远不要离开。

值得炫耀的秘密

　　几个男孩子心里揣着一个秘密，兴奋得好几天都睡不着觉。他们自以为把这个秘密藏得很好，滴水不漏，殊不知在言谈举止上，他们的态度已发生了一些变化，一副不屑与人一般见识的样子，别人讲什么都引不起他们的兴趣，他们会在心里说：我知道有一个巨人，他的名字叫阿空，他住在一座像城堡一样的房子里，开着一辆像集装箱一样的房车，你知道吗？

这是一个值得炫耀的秘密。向谁炫耀呢？除了唐飞，他们都同时想到了一个人——他们班上长得最漂亮的女生夏林果。

自从放暑假后，他们就没有见过她。有时候真想给她打个电话，可是在电话里跟她说什么呢？夏林果骄傲得像个公主，她是不喜欢听废话的。如果把这个秘密告诉她，她肯定会……

当然，他们曾经对巨人阿空发过誓，他们相互之间也发过誓，不把这个秘密说出去，但他们自己给自己发誓，却是这样的：我只告诉夏林果一个人，除了夏林果，我谁也不告诉。

第一个给夏林果打电话的人，居然是张达。

"夏……林果，本来……我不会……给你打电……但是有一个秘……秘密，你千万……不……要给别……人说。"

张达本来就结巴，给夏林果打电话，他更结巴。

"什么秘密？"夏林果懒洋洋的，"你说吧，我不给别人说。"

"我们发……发现……一个巨……巨人……"

"巨人？"夏林果不相信，她只知道童话里有巨人，"张达，你在做梦吧？"

张达迷迷糊糊，常常处于半睡半醒的状态，夏林果以为他在说梦话，便把电话挂了。

第二个给夏林果打电话的人是毛超。

"夏林果，我本来不想给你打电话，但是，如果我有一个秘密，一定要有一个人与我分享的话，那么这个人，我想来想去，除了你，还是你。"

毛超是废话大王，他说十句话，有九句都是废话。

"毛超，别跟我弯弯绕，有话就说。"

毛超继续说："在我说之前，你得先发誓。"

夏林果说："我都不知道你要说什么，我凭什么发誓？"

"你不发誓，我就不说。"

"不说就不说。"

夏林果啪地把电话挂了。漂亮女孩就是有脾气。

过了一会儿，电话铃又响了，还是毛超打来的。

"夏林果，既然我决定了要把这个秘密告诉你，我就一定要告诉你。"

夏林果沉默着。

毛超怕夏林果挂电话，不敢再绕："你知道吗，在我们这个城市里，有一个巨人……"

怎么又是巨人？夏林果不动声色，继续沉默。

"他起码有两米五，比那个篮球明星姚明还高。他住在……"

毛超把他知道的，全部告诉了夏林果。

夏林果有点相信了。她知道毛超会编，但编不了这么圆。只是那只来路不明的瘫痪狗，那些来路不明的乌龟，让她觉得不可思议，让她半信半疑。

这太离奇了！

毛超第三次打电话来，他一再声明，这个秘密他只告诉了她，要她一定不能再告诉第二个人，特别不能告诉马小跳、唐飞和张达。

夏林果向他保证，绝不告诉马小跳、唐飞和张达。

毛超还是不放心："你会不会因为张达是个四肢发达、头脑简单的人，你就告诉他？"

谁都知道，在他们四个男生中，夏林果对张达最好。

夏林果再一次保证，她不会。

马小跳是在思想斗争了许久后，才给夏林果打电话的。他知道他是发过誓的，他知道他这样做不对，出尔反尔，没有诚信，但是，只要夏林果不告诉别人，还是算守住秘密的。一想到他和夏林果共同拥有一个秘密，马小跳就有一种幸福的感觉。

从放暑假的第一天起，马小跳就想给夏林果打电话，天天都想打，但又不知该说些什么，这下有说的了。

"夏林果，我本来不想给你打电话……"

又是这样的话开头。张达、毛超都说了同样的话，怎么一给她打电话，都没了创意？

夏林果要逗逗马小跳："不想打就不打呗，又没有人拿着枪顶在你的背上，非打不可。"

马小跳急了："但是，我有一个秘密，必须要告诉你。"

夏林果已经知道他的秘密是什么了，所以并不急于知道。

"马小跳，什么叫'秘密'呀？"夏林果要逗逗马小跳，"秘密就是一个人或者很少人知道的事情，你到处给人讲，还叫秘密吗？"

马小跳更急了："我没有到处给人讲，我只给你一个人讲。"

"你为什么要给我讲？"

"因为……因为……"

马小跳也不知道他为什么要告诉夏林果，但就是想告诉她。

马小跳不管三七二十一，上气不接下气地把那个秘密对夏林果讲了。跟张达、毛超讲的差不多，夏林果相信，马小跳讲的是真的。

跟张达和毛超一样，马小跳也没忘了叮嘱夏林果："我只告诉了你一个人，你千万别再告诉别人，特别是唐飞、毛超，还有张达。"

夏林果大笑：怎么这几个人开头结尾的话都一样？

马小跳不知道夏林果在笑什么，他心虚了。

"夏林果，我知道你喜欢张达，我知道你会告诉张达的。"

"马小跳！你再胡说，我一辈子不理你。"

马小跳就怕夏林果一辈子不理他，赶紧闭嘴。

夏林果就等唐飞的电话了。唐飞也是知道这个秘

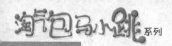

密的，她十分自信，唐飞一定会给她打电话的，而且，开头结尾说的话，也跟他们几个一样。

　　唐飞的电话，一等不来，二等不来，夏林果奇怪了——这唐飞怎么啦？

土豆沙拉的诱惑

　　对唐飞来说，那个秘密当然是值得炫耀的，只是他从没有想过，要把这个秘密与夏林果分享，他只想把这个秘密告诉一个人，这个人是杜真子，这个女生不是他们班的同学，而是马小跳的表妹。因为她长着一张猫脸，一双大眼睛，很像动漫女孩，还因为她会做土豆沙拉，所以唐飞对她很有好感。

　　"杜真子，我给你说的这些，你千万别告诉别人，最最不能告诉的是马小跳。"

"唐飞，你放心，我最讨厌的人就是马小跳，不会跟他讲的。唐飞，你什么时候带我去见见那个巨人？"

"这……这……"

杜真子的这个要求，让唐飞十分为难。

杜真子除了会做土豆沙拉，还会哄人。要把唐飞哄得百依百顺，杜真子可以不费吹灰之力。

"唐飞，我就想不通，我的表哥为什么偏偏是马小跳？为什么不是你，你比马小跳可好多了。"

唐飞说："我也想不通，为什么马小跳有你这样的表妹，我没有？"

言归正传，杜真子又回到刚才那个话题上。

"唐飞，求求你，你带我去看看那个巨人吧！"

唐飞已经昏了头："好吧，我带你去。"

杜真子在电话那头惊叫："唐飞，你答应了？"

"我会想办法的。"

虽然没有一点把握，但对杜真子，唐飞乐意充当大尾巴狼。等马小跳他们几个再聚到一起的时候，唐飞已经找到要带杜真子去见巨人阿空的借口了。

唐飞挑起话题："你们说，阿空为什么就那么喜欢吃土豆？"

那天在巨人阿空的家里看他做饭，他煮了一大锅土豆，煮熟后放在箩筐里，剥了皮，醮点盐就吃。

"你就这么吃呀？"

巨人阿空说："我天天都这么吃。"

"你觉得好吃吗？"

巨人阿空说："我就喜欢吃土豆。"

阿空一口一个土豆，他们看着他把那一筐煮土豆吃得一个不剩。

"他长那么高，是不是因为吃土豆吃的？"毛超说，"从明天开始，我也只吃土豆，别的什么都不吃，我就不信我长不高。"

马小跳和毛超打赌，说他最多能吃上三顿。

毛超和马小跳在那里打起嘴仗来，唐飞急了，他想要说的话还没绕到正题上。

"阿空为什么把土豆就那么煮着吃呢？他不会做菜吗？"

毛超暂停和马小跳的争吵，忙着回答唐飞的问题："做菜多麻烦呀！阿空的行动不太方便，他只能

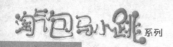

吃白水煮土豆。"

"我们应该帮帮阿空。"唐飞一脸正气，"我们帮他做土豆。"

"唐飞，看不出来呀！"毛超阴阳怪气，"你是会做红烧土豆，还是会炒土豆丝？"

唐飞装出突然想起来的样子："马小跳，你的表妹杜真子不是会做土豆沙拉吗？"

唐飞终于把话绕到正题上来了。

他们几个都曾经吃过杜真子做的土豆沙拉，味道那个好呀，到现在还记忆犹新呢！

"我们让杜真子来做一顿土豆沙拉给阿空吃。"

毛超和张达都觉得这主意不错。

"我不同意！"马小跳坚决反对，"这是我们几个人的秘密，杜真子来了，她会告诉别人的。"

"不会的，不会的。"唐飞急于表白，"我保证杜真子不会告诉别人。"

"唐飞，我提醒你，杜真子是我的表妹，不是你的表妹，我都不敢保证，你怎么敢保证？"

"马小跳，我们是好朋友，你的就是我的，你的表妹就是我的表妹。"这是唐飞的逻辑，他又想起那天杜真子对他说的话，"再说啦，人家杜真子说，如果可以重新选择，她一定会让我做她的表哥。"

"杜真子真的这么说？"

马小跳的肺都要气炸了。

"不信你去问她。"

眼看着唐飞和马小跳就要打起来，张达一手抓住马小跳，一手抓住唐飞，把他们分开。

毛超当和事佬是动口不动手。

"都是自家兄弟，不要伤了和气。"

马小跳和唐飞一起朝毛超吼："你说，今天是谁的错？"

毛超想都不想："是马小跳的错。"

马小跳问张达，张达还是想都不想："是你的错。"

张达和毛超都认为，杜真子做的土豆沙拉那么好吃，应该让巨人阿空吃上一顿。

"我们举手表决吧！"唐飞趁热打铁，"同意让杜真子给阿空做土豆沙拉的举手！"

唐飞把他的手高高举起来。毛超和张达也举了手。唐飞宣布结果："三票赞成，一票反对，通

过！"

"谁反对啦？"

好汉不吃眼前亏，马小跳被迫同意。

唐飞在第一时间里，把这个好消息告诉了杜真子。他还和杜真子串通好，等马小跳来求她的时候，她还得装出不愿意去的样子。

"杜真子，就算我求你了，你去吧！"

马小跳果然上当，在电话里死皮赖脸地求杜真子。

"不去。"

"杜真子，就算我最后一次求你！"

"不去。"

想让巨人阿空吃上一顿土豆沙拉，怎么就这么难呢？

马小跳的忍耐是有限度的。他怒火万丈，义正辞严："杜真子，你还有没有一点爱心？"

马小跳听见话筒里，传来杜真子忍都忍不住的笑声。

巨人不在家

杜真子如愿以偿。

唐飞开始忙碌起来，到处打听哪里能买到又大又好的土豆。

"有一种高山土豆，特别好吃。"

小王是唐飞爸爸的司机，跟着唐飞的爸爸吃遍全国的大酒楼、小餐馆，是个美食家。

唐飞说："你带我去买。"

"这种土豆不零卖的，都是一麻袋一麻袋地往大酒楼里送。"

唐飞命令小王："你去给我弄一麻袋来。"

小王赔着笑脸："我说唐飞，我弄几个来给你尝尝，一麻袋你哪吃得了？"

"我叫你弄一麻袋，你就弄一麻袋。"

小王领教过唐飞的少爷脾气，最好顺着他来。

"好好好，我马上去给你弄一麻袋来。"

"小王，你站住！"唐飞叫住小王，"这件事只能悄悄地去做，不能告诉任何人。任何人里面也包括我爸和我妈，你明白吗？"

小王一连说了三个"明白"，但他还是不明白："唐飞，你弄这么多土豆干什么？"

"小王，不该你问的，你不要问。"

小王点点头。

"唐飞，还有一个问题，我不知道该不该问？"

"你问。"

"弄到土豆后，给你放哪儿呢？"

"放在'悍马'的后备厢里，不许弄到家里来。然后，明天早上你忙完正事儿，就把'悍马'开出来，到一个地方来接我们。"

唐飞勾勾手指头，让小王把耳朵伸出来，给他说了一个地方。

唐飞要是认真起来，做事情是有条有理，一点都不乱，很有计划性，这一点像他爸。但是唐飞不喜欢认真，所以他给人家的印象总是懒洋洋的、得过且过的样子。这次这么上心，完全是因为杜真子，她要给阿空做土豆沙拉，这一麻袋高山土豆就是为她准备的。

第二天，在约定的地方，除了他们四个，杜真子也来了，她手上提着一个大食品袋。

四个男孩子中有了一个女孩子，唐飞、毛超和张达都兴奋得两眼闪闪发光。特别是唐飞，热情得过分，黏在杜真子的身边忙来忙去，你简直就不知道他到底想干什么。

马小跳早就看唐飞不顺眼了：

"唐飞，我看你今天有点不正常。"

杜真子早就看马小跳不顺眼了：

"马小跳，我看你才不正常。人家唐飞、毛超和张达见到我都很高兴，就你不高兴，你什么意思呀？

你是不是不愿意我去？"

　　杜真子走了，她是假装的，她知道他们是不会让她走的。

　　"杜真子！杜真子！"

　　马小跳跑得比唐飞还快，把杜真子拉了回来。

　　"唐飞，车怎么还没来？"

　　他们已等了半个小时了。

　　唐飞说："我让小王忙完正事儿再来。"

　　"如果小王今天的正事儿一天都忙不完，我们怎么办？"

　　"小王没那么多正事儿，除了接送我爸，他整天都闲着。"唐飞正说着，眼睛一亮，"嘿，来了！就那辆'悍马'。"

　　老远，就能看见那辆"悍马"越野车。它那庞大威武的身躯，排山倒海的气势，开在道上霸气十足。

　　"悍马"停在他们跟前，唐飞一挥手："上！马小跳带路！"

　　坐在这样的车上，仿佛在飞。好像刚坐上去，就到了。

　　小王帮他们把一大麻袋土豆从车上卸下来，望望四周，不见人烟，小王有些担心："你们到这里来干什么？"

唐飞说："种土豆，不可以吗？"

小王指着眼前的一大片荒草地："你们是想开荒种土豆？"

小王坚定不移地相信，他们是来开荒种土豆。除了这个理由，他实在想不出这几个孩子，带着一大麻袋土豆，跑到这荒地里来干什么。

小王开着"悍马"离去了，他没有看见那座像城堡一样的房子。

"那个巨人就住在这座房子里吗？"杜真子跑到那道高高的门前，轻轻一推，门居然开了。

"啊——"

杜真子看见在地上遍地爬的乌龟，发出一声惊叫。

巨人阿空不在家里。

"他马上就要回来了。"马小跳扳过杜真子的手腕，看她的表，"杜真子，快动手吧！"

杜真子问他们，巨人一顿能吃多少土豆？

"一筐。"

杜真子踮着脚，从那高高的桌子上把箩筐取下来，然后发号施令："从麻袋里拣一筐土豆出来，再把土豆洗干净。"

　　几个人被杜真子指使得团团转。杜真子曾经在马小跳家住过一阵子，就把他们几个指使得团团转，他们喜欢被她指使得团团转。

　　杜真子还带了鸡蛋来，她问煮几个鸡蛋，马小跳说至少十个。

　　"那么多？"

　　"不多不多。"马小跳扳着手指头，"巨人阿空一人就能吃五六个，还有我们几个，还有一条狗，还有这地上的乌龟……"

　　巨人家的灶台也很高，杜真子要踮着脚才能把火打开，把十个鸡蛋放在一口大锅里煮。

　　煮好了鸡蛋，煮土豆。

　　杜真子让马小跳剥鸡蛋壳，让毛超去切火腿肠，让唐飞和张达一起，把绿油油的西兰花掰成一小朵一小朵的。

　　土豆煮好了，大家又围在一起剥土豆皮，然后把土豆、鸡蛋都切成丁，和火腿肠、西兰花一起，全部盛在一个大盆子里，放上沙拉酱、千岛酱一拌，土豆沙拉就做好了。

巨人阿空还没有回来。

杜真子又指使马小跳去把阿空的床铺整理了。

"那么高，我怎么上去啊？"

"你踩着我的背上吧！"

张达蹲在床前，马小跳踩着张达的背上床了。

"毛超，你把桌子擦干净！"

桌子太高，毛超也上不去。又是张达蹲在地上，毛超踩着张达的背上去了，跪在桌子上，像擦地板那样擦着桌子。

"张达，唐飞，你俩负责把地扫干净。我出去一会儿。"

唐飞马上追了出去："我跟你去吧！"

杜真子来的时候，就发现这座房子周围的荒草地上，开着蓝色和白色的野花儿，她想采一些，放在阿空的屋子里。

唐飞紧紧跟着杜真子，杜真子把采来的花儿都放在他的手里，不一会儿，便采了一大把。

"阿空回来了！"唐飞让杜真子看远方的路上，

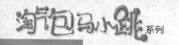

巨
人
的
城
堡

"瞧，那就是阿空的车！"

杜真子和唐飞跑回房里："阿空回来了！我们快藏起来！"

小仙女下凡

　　巨人屋里的东西都是又高又大，到处都能藏身。

　　马小跳和毛超藏在衣柜里面，张达藏在桌子底下，唐飞和杜真子藏在床底下。

　　乌龟们在地上爬来爬去，只有它们知道这屋里藏着人。

　　他们听见了汽车驶近的声音，然后听见马达熄灭的声音，关车门的声音，噔噔的脚步声。

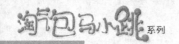

巨人的城堡

　　那道高高的门被推开了，巨人阿空站在门口，没有马上进来。

　　"他很奇怪，这屋里怎么变了样？"

　　毛超的嘴永远闲不住，哪怕是藏在衣柜里，还是闲不住。

　　"闭嘴！"

　　马小跳从衣柜的门缝里，观察巨人阿空的一举一动。

　　阿空最先看见的是桌子上那一大盆土豆沙拉和那一大把刚采来的野花。

　　阿空又看看四周，床理得整整齐齐，地扫得干干净净。在灶台旁边，还立着一个大麻袋，阿空看了看里面，全是大土豆。

　　阿空走到哪儿，地上的乌龟就爬到哪儿。他开始跟乌龟说话，每天他都要跟乌龟说话。

　　"谁来过？你们都看见了吗？"

　　乌龟都看见了，可它们不会说话。

　　"有仙女来吗？哦，你们不知道仙女下凡的故事。"

　　藏在衣柜里的毛超又管不住他的嘴巴了："如果

杜真子是仙女，我们算什么？"

"闭嘴！"

巨人阿空听见了衣柜里的动静。他朝衣柜走去，眼看着藏不住了，马小跳猛地推开衣柜门，从里面跳了出来。毛超也跟着出来了。

汪！

蹲在巨人手掌上的腊肠狗已经认识他们，叫一声算是打过了招呼。

"是你们？"阿空似乎很高兴，"还有两个呢？"

张达从桌子底下钻出来，唐飞和杜真子从床底下钻出来。

唐飞把杜真子推到阿空的面前："她叫杜真子，土豆沙拉是她做的。"

杜真子要抬起头来，才能看见阿空的脸。阿空也正埋下头来看杜真子。

"我说有仙女下凡，果真是个小仙女！"

"你快尝尝，她做的土豆沙拉。"唐飞迫不及待地说，"杜真子做的土豆沙拉，绝对是全世界最最好吃的土豆沙拉。"

阿空叫大家都入座。

只有一把高椅子，所以只有阿空一人坐下来了。

阿空把腊肠狗拖拖放在桌上，弯腰从地上把乌龟也抓到桌上来。

"一共有十二只，一只也不能少，都把它们请到桌上来。"

马小跳他们几个把地上的乌龟都"请"上了桌。

"你们也上来吧！"

巨人阿空把他们一个一个地抱上桌去，幸好桌子很大很大，他们可以盘腿坐在上面。

巨人阿空舀了一勺子土豆沙拉在腊肠狗拖拖的盘子里，又舀了一勺子土豆沙拉放在桌子上，那是给乌龟们的。

"别看我一个人，每顿饭都吃得挺热闹的。"

有一只狗和十二只乌龟陪着，是挺热闹的。

阿空又拿出一个小面盆，从那大盆里分出一半土豆沙拉，说这是给他们几个吃的。

杜真子问："你没有碗吗？"

"这就是我的碗。"阿空指着大面盆和小面盆，"这是我的大碗，这是我的小碗。"

阿空舀了一勺子土豆沙拉放在嘴里。他用的勺子，也有马小跳他们家的饭勺那么大。

"怎么样？味道怎么样？"

唐飞急于想听到阿空赞美的话。

"真好吃！"阿空说，"我从来没吃过这么好吃的土豆。你们看，连狗和乌龟都喜欢吃。"

十二只乌龟围着吃的那一堆土豆沙拉快没有了，腊肠狗拖拖也把盘子里的土豆沙拉吃得精光。

杜真子给腊肠狗拖拖和乌龟们各添了一勺子土豆沙拉。

"我家的猫也喜欢吃土豆沙拉。"

毛超抢着告诉阿空："杜真子的猫会笑！"

"是吗？太有意思了！"阿空对杜真子说，"你哪天把你的猫带来玩玩，这狗太孤独了！"

其实，阿空也孤独。只有一颗孤独的心才能深深地同情另一颗孤独的心，哪怕这是一只动物。

阿空从椅子上站起身来，拍拍他的肚子："我吃得好饱好饱！"

"阿空，我一直想问你一个问题。"杜真子说，"你为什么那么喜欢吃土豆？"

"土豆是饭，土豆是菜，我天天吃土豆都吃不厌。但今天吃的土豆，特别好吃。"

　　唐飞赶紧说："这不是一般的土豆，这是高山土豆，菜场上都买不到的。"

　　马小跳说："这外面有那么多地都荒着，我们不如种一些土豆，阿空就能天天吃到这样的土豆了。"

　　"马小跳，你知不知道这种土豆叫'高山土豆'？"

　　"我知道，我知道！"毛超抢着回答唐飞，"'高山土豆'不就是高山上长出来的土豆吗！"

　　"这里又不是高山，种了也长不出来。"

　　马小跳反驳唐飞："你没试过，你怎么知道长不出来？"

　　"就是长不出来！"

　　唐飞和马小跳又打起嘴仗来。

　　"好啦，吵死人啦！"杜真子横在他们两人中间，"你们都听我的……"

　　唐飞马上说："你说种就种，你说不种就不种！"

　　杜真子说："种！"

谁是泄密的人

在准备去为巨人阿空开荒种土豆的前一天，马小跳接到了路曼曼的电话，这是放暑假以来，马小跳第一次和路曼曼通话。

"马小跳，你知道我是谁吗？"

马小跳一听就知道是他的同桌冤家。

"马小跳，你知道我找你是什么事情吗？"

马小跳坐下来，把腿跷到茶几上，一副奉陪到底的架势："路曼曼，都放假了，你还想管我吗？"

"不是我想管你，是我必须管你。我问你，你们昨天到哪儿去了？"

马小跳心里格登一下：怎么，她知道了？

"马小跳，你怎么不说话？是不是心虚了？"

"我没心虚！我没心虚！"马小跳脖子上暴出几根青筋，"我又没做坏事，我为什么要心虚？"

马小跳急，路曼曼可一点都不急："我知道你们最近交了一个新朋友，这个新朋友嘛，很特别，是个巨人，听说比姚明还高呢……"

"路曼曼，你怎么知道的？"

"我又不是巫婆，当然是有人告诉我的。我不说，你也知道这个人是谁。"

"夏林果？"

"不打自招。"

小跳啪的一声，把路曼曼的电话挂了，气呼呼地拨夏林果家的电话。

正是夏林果接的电话。

马小跳气急败坏："夏林果，你怎么能不守信用，把我告诉你的秘密告诉路曼曼呢？"

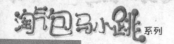

巨
人
的
城
堡

"我也只告诉了路曼曼。"

马小跳的脖子上，又暴出几条青筋："你知不知道，秘密是不能告诉别人的？"

夏林果一点都不买马小跳的账："那你为什么要把秘密告诉我？"

马小跳无言以对。

马小跳很想生夏林果的气，但不知为什么，就是生不起来。

电话铃又响了，马小跳拿起话筒一听，又是路曼曼。

"马小跳，你刚才怎么把电话挂了？我的话还没说完呢！我想去见那个巨人。"

"不行！"

马小跳断然拒绝。

"马小跳，你会后悔的！"路曼曼威胁马小跳，"你不怕我把你守不住秘密的事情，告诉唐飞他们几个吗？"

马小跳最恨不守信用的人，如果夏林果真的告诉唐飞他们，马小跳在他们面前会感到没面子的。

马小跳被迫答应了路曼曼。

要带路曼曼去见巨人阿空，只马小跳一人说了不算，还得唐飞、毛超和张达点头才行，这毕竟是他们几个人共同的秘密。

唐飞是最难缠的，张达是最好说话的，那就先给张达打电话吧。

"张达，有人知道我们的秘密了。"

张达曾经把这个秘密告诉过夏林果，所以心虚，他以为马小跳兴师问罪来了。

"这……这……"

张达本来就结巴，一紧张就更结巴。

"也没什么，就是路曼曼想去见阿空，我们明天不是要去种土豆吗？正缺劳动力……"

没想到马小跳这么大度。

"对……对……她就是……一个……劳动力，再把夏……林果叫上……"

马小跳也正想叫夏林果去，便顺水推舟："夏林果也算一个劳动力，那就叫上她吧。"

这么容易就把张达搞定了，要搞定毛超，马小跳也很有信心。

马小跳先给毛超一个下马威："毛超，你知不知道话多必失？反正有人知道了我们的秘密。"

"是夏林果吗？"

毛超沉不住气，他曾经把这个秘密告诉过夏林果，所以他心虚。

"是路曼曼。"

"我没有告诉过路曼曼，只告诉过夏林果。"

"你知不知道，夏林果又告诉了路曼曼？"

毛超无言以对。他很想生夏林果的气，但不知为什么，就是生不起来。

"算了算了，知道就知道吧！"

没想到马小跳这么大度。

"路曼曼想去见阿空，我们明天不是要去开荒种土豆吗？正缺劳动力……"

"对对对，让路曼曼去当劳动力！"毛超赶紧把他心里想说的话说出来，"最好把夏林果也叫去当劳动力。"

马小跳也这么想。

最难搞定的是唐飞。

马小跳编好了一大堆软硬兼施的话，才给唐飞打过去。

唐飞正一边吃零食，一边看动画片。马小跳说了那么多，等于是白说，唐飞一句都没有听进去。

"唐飞，你听见没有？就让路曼曼和夏林果跟我们去种土豆吧！"

"可以。"唐飞懒洋洋地说，"杜真子也必须去。"

马小跳坚决反对："杜真子已经去过了。"

只要为了杜真子，唐飞就会斗志昂扬。

"人家阿空说了，要杜真子把她的猫带去跟他那只腊肠狗交朋友。"

每当这种时候，马小跳就忍不住要提醒唐飞："杜真子是我的表妹！"

唐飞没有说他经常爱说的那句话：你的表妹就是我的表妹。他说了让马小跳更加生气的话。

"人家杜真子说了，如果可以选择的话，她宁愿做我的表妹。"

"她真的这么说的？"

马小跳不仅生气，还有点伤心。他必须妥协：杜真子去了，路曼曼和夏林果才能去，才能保住他马小跳的面子。

一想到明天就能见到夏林果，马小跳满脑袋都是对明天的憧憬。

开荒种土豆

　　唐飞他们家的司机小王真是神通广大，唐飞让他弄一些开荒种土豆的工具，他真的就找来了锄头和铲子。现在，他更加坚定不移地相信，唐飞他们几个到那种地方去，就是开荒种土豆，没干别的事，他主动提出要开车送他们去。

　　唐飞说："你开辆大一点的车来。"

　　"'悍马'还不够大呀？"

"悍马"已经算是超大型的越野车。

上次，小王就是开"悍马"去的。唐飞说："还有几个女生也要去。"

"女生也去种地？"

唐飞没好气地说："马小跳叫去的。"

"这马小跳够英明的！"司机小王笑起来眼睛便眯上了，"干活儿的时候有女生在，特别有劲儿。这叫'男女搭配，干活不累'。"

唐飞才不承认马小跳英明呢！但他也懒得去琢磨马小跳为什么非让夏林果和路曼曼去不可，他和路曼曼不是同桌冤家吗？只要杜真子去，唐飞才不管谁去呢！

杜真子不知道路曼曼和夏林果要去，路曼曼和夏林果也不知道杜真子要去，所以她们一见面，心里都犯嘀咕。

路曼曼把夏林果拉到一边："你不是说这是绝密的吗？怎么……"

"她是马小跳的表妹杜真子。"夏林果小声说，"他们几个，你真的相信他们能守住秘密？"

路曼曼的心中顿时充满了妒意。三个女生当中，男生们宁愿把秘密告诉夏林果和杜真子，却没有一个男生愿意告诉她。她不能把气撒在夏林果身上，毕竟是夏林果把男生们的秘密告诉她的，她只能把气撒在杜真子的身上。

"你怎么也来啦？"

"我都去过一次了。"

"你都去过一次了？"路曼曼的心里更不平衡了，"你怎么去的？是马小跳带你去的吗？"

马小跳马上声明："不是我！"

路曼曼看着马小跳就不顺眼。他今天居然带着一辆遥控汽车。

"马小跳，我们今天是去种土豆，不是玩汽车的。"

"路曼曼，现在已经放假了，你还想管我？"

路曼曼不仅看马小跳不顺眼，她看杜真子带着一只猫，也不顺眼。

"杜真子，你知道今天去干什么吗？你带着一只猫，神经兮兮的。"

杜真子正要发作，她那只会笑的猫已经发作了。它冲路曼曼大叫一声，然后就对她笑，是那种狰狞的

笑，笑得路曼曼毛骨悚然。

路曼曼终于闭上了嘴巴。

上了车，路曼曼也没有再说一句话。那只会笑的猫一直在看着她笑，她的全身起满了鸡皮疙瘩。

司机小王把他们送到后，因为还要忙"正事儿"，马上开车走了。其实，他非常想和他们一起种土豆。

"这就是巨人的房子吗？门这么高呀！"

夏林果轻轻地一推门，门又开了。如果说前一次是巨人忘记了锁门，这一次，是巨人阿空特意给他们留着门。现在，阿空每天都给他们留着门，随时欢迎他们来。

巨人阿空不在家，只有遍地的乌龟欢迎他们。

巨人房子里所有的东西，都让夏林果惊叹不已。

"这是巨人吃饭的桌子吗？我都可以在上面跳芭蕾舞了。"

张达马上说："等……巨人回来了，你就在上面跳……给他看……"

夏林果问："巨人到哪儿去了？"

"他每天都去汽车城上班，只上一个多小时。"

巨人的城堡

毛超模仿巨人站立的姿势，"只要他往那里一站，把买车的人全都吸引过去。老汽车城那边有很多美女车模，都抵不过阿空一个人的魅力，去那边买车的人也都往阿空这边跑。"

杜真子已经在指挥大家干活了。刚好有四把锄头，马小跳、唐飞、毛超和张达正好一人一把，她叫他们去挖地。又叫夏林果和路曼曼去收拾杂草。

四个男生扛着锄头乖乖地去了。听杜真子的使唤，习惯已经成自然。这又让路曼曼心里不是滋味：这几个男生从来没有乖乖地听她摆布过。

路曼曼问杜真子干什么。她的语气里充满了挑衅：

"你叫我们干这干那，你干什么呢？"

"我切土豆。"

"切土豆多轻松呀！你也太自私了。"

"你种过土豆吗？"

路曼曼承认她没有。

"我种过，而且还丰收了。所以，你们没有种过土豆的人，都得听我的。"

这杜真子太难对付了，路曼曼想不听她的都不行。

有夏林果在，马小跳他们干得特别欢。夏林果还让他们比赛，四个人一字排开，每人挖一路，看谁挖得快。

他们都想在夏林果面前表现自己，豁出去了，一个个汗流浃背，脑袋上热气腾腾。一路挖下来，张达挖得最快，唐飞挖得最慢，马小跳和毛超不分上下。

"我都快累死了！"

唐飞喘气像拉风箱，瘫倒在地上。

路曼曼忍不住又要教训唐飞："唐飞，你太不像话了，你看人家张达都挖完了，你还没挖到一半。"

唐飞耍无赖："不是我挖得慢，是我的锄头没有张达的好。"

路曼曼的性格好较真，她拿起张达的锄头给唐飞："这是张达的锄头，你去挖呀！"

唐飞不动。

路曼曼使劲地拉他："你去呀！你去呀！"

唐飞突然说："路曼曼，你知道马小跳为什么不喜欢你吗？"

路曼曼一下子愣住了，所有的人都愣住了。幸好这时，巨人阿空回来了！

在餐桌上跳芭蕾舞

巨人阿空从车上下来，看见他们，十分高兴。

"嗨，你们真的来种土豆啦？"

马小跳赶紧把路曼曼和夏林果推到巨人阿空的跟前："她是路曼曼，是我们班的中队长，她最喜欢管人……"

"马小跳！"

马小跳被路曼曼喝住了，赶紧把话题转移到夏林果的身上："她是夏林果，她会跳芭蕾舞。"

夏林果仰头望着阿空，她曾经在梦中梦见过巨人，就是阿空这样子的。

他们跟着阿空回到屋子里，阿空把一直托在手心里的腊肠狗拖拖放在桌子上，杜真子那只会笑的猫不知从什么地方窜出来，也跳到桌子上。它跟拖拖对视了一会儿，然后绕着拖拖走了一圈，大概它也发现了拖拖身上有什么不对劲的地方。

拖拖一直是趴着的，会笑的猫也跟它面对面地趴着。它向拖拖笑笑，拖拖想学它笑，可嘴巴只是歪了歪。

"我的小狗狗终于有朋友了。"巨人阿空十分爱怜地抚摸着拖拖，"可惜，它不能像这只猫一样跑来跑去。"

"它可以坐在车上。"马小跳拿出他带来的遥控汽车，"这是我送给拖拖的汽车。"

这是马小跳的爸爸马天笑先生设计的大型玩具车，式样是新潮的红色敞篷赛车，刚够拖拖和会笑的猫并排趴在车里。

马小跳一摁遥控板，敞篷车便在桌子上奔跑起

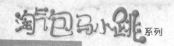

来。跑到桌子边缘，眼看就要掉下去了，杜真子发出刺耳的惊叫声。

唐飞也在叫："马小跳，要出车祸了！"

马小跳沉着冷静，一摁遥控板，敞篷车又倒回来了，化险为夷。

马小跳熟练地摁着遥控板，把那辆新潮的红色赛车玩得团团转。而趴在赛车里的拖拖和会笑的猫已经疯狂了，拖拖嗷嗷直叫，会笑的猫狂笑不止。

马小跳把赛车停下来。他刚把遥控板放在桌子上，会笑的猫就从赛车里跳出来，跑到遥控板旁，把一只爪子摁在遥控板上。

红色赛车又奔跑起来，眼看着已经跑到桌子边缘了。

"停下！停下！"

"要出车祸了！"

可是，会笑的猫不是马小跳，它不知道怎么才能把赛车停下来。

赛车从桌子上飞出去，张达一个箭步冲过去，伸手接住了赛车。

拖拖已经被吓傻了。

巨人阿空说："把遥控板放在地上，让它们俩玩吧！"

那只会笑的猫是一只悟性很高的猫，它只玩了一会儿，就知道摁遥控板的哪个键，赛车就能向前、倒退、往左、往右。

拖拖从来没有这么高兴过，巨人阿空比拖拖还高兴。他说这条狗跟着他太孤独太寂寞了。如果它四肢健全，他一定让它像会笑的猫那样，过上快乐的生活。

"马小跳，裴帆哥哥不是专门医狗医猫的医生吗？你去问问，看能不能把拖拖医好？"

夏林果还记得那个又帅又酷的裴帆哥哥，他是马小跳的邻居韩力哥哥的好朋友。

"我怎么没想到呢？"

马小跳一拍脑门儿，他是个急性子，马上就要给裴帆哥哥打电话。可是，巨人家没有电话，也没有手机。

简直不能想象，一个现代人，没有电话或者手机，怎么跟外界联系？

"我讨厌跟人打交道。"阿空突然意识到马小跳

在餐桌上跳芭蕾舞

他们也是人，"当然，你们是没有长大的人，还不怎么讨厌。"

"你为什么讨厌人？"

路曼曼喜欢讨论深沉的问题。

"我不喜欢他们看我的眼光，像看动物一样。我不能在街上走，不能去公园玩，不能去超市买东西，所以我只能天天吃土豆……"

原来他天天吃土豆，并不是喜欢，而是因为他怕去超市买东西。

路曼曼要打破沙锅问到底。

"我听说你每天去汽车城，就是让人们来看你，因为你，汽车城的人气很旺，这又怎么解释呢？"

"这是我的工作。我要生活，就必须工作，我只能找到这样的工作。"巨人阿空的脸色阴沉下来，"我讨厌我的工作！我觉得我像动物园里的猩猩。"

那天，马小跳他们在汽车展场，第一次见到阿空，他确实很不开心。等时间一到，他便逃离了人们的视线，躲进那辆密封得像罐头一样的房车里。

屋里的气氛越来越沉闷，马小跳他们几个都喜欢热热闹闹、欢天喜地，他们到这儿来，不正是想让这

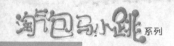

个忧郁、自闭的巨人开心快活起来吗?

"夏林果,你不是要给阿空表演芭蕾舞吗?"

夏林果早有准备,她从家里带来了舞裙和舞鞋。毛超帮她打开巨人的衣柜门,让她到里面去换衣服。

巨人的衣柜对夏林果来说,简直就是一个更衣室。她换好舞鞋舞裙,从衣柜里出来,把马小跳他们几个都看傻了。

夏林果把手伸给阿空:"我可以在你的桌子上跳吗?"

阿空吃饭的桌子又高又大,对夏林果来说简直就是一个舞台。

巨人阿空拉着夏林果的双手只轻轻一提,夏林果便像一只小鸟,轻盈地落在桌子上。

"夏林果,跳天鹅舞。"

夏林果穿的就是雪白的天鹅舞裙。她踮起足尖,交叉着在桌上移动碎步,两只修长的手臂舒展开来,像要飞翔的翅膀。

夏林果的舞姿优美、抒情,富有表现力。

在巨人阿空的眼里,她就是一只小天鹅,纯洁美丽,一只给他带来温暖和安慰的小天鹅。

巨人阿空的那个又长又大的饭桌，真的是好特别哦，马小跳他们也想上去秀一秀。

"你们会什么呀？"路曼曼从来就瞧不起马小跳他们几个，"你们是会唱歌，还是会跳舞？"

"走，我们去换衣服！"

马小跳一挥手，带领唐飞、毛超和张达，进了巨人阿空的大衣柜。

关上衣柜门，唐飞不知道："马小跳，你玩的什么招儿呀？"

毛超也说："马小跳，我们又没带演出服装来，跑到这里面来干什么？"

马小跳指着柜子里挂着的一排衣服："这么多衣服，快换！"

"你有没有搞错啊，这是阿空的衣服。"

"穿阿空的衣服才有意思，你们不想来一场服装秀吗？"

大家都觉得马小跳这主意不错，手忙脚乱地在衣柜里换起衣服来。

"怎么还不出来呀？"路曼曼去拍衣柜门，"再不出来，我们就走啦！"

听衣柜里面动静挺大的，夏林果让大家猜一猜：这几个男生，全在衣柜里干什么？

杜真子哧哧地笑："等着瞧吧，肯定会有一场好戏！"

两扇衣柜门终于打开了，马小跳、唐飞、毛超和张达从柜子里跳出来，他们都穿着阿空的衣服，长得盖住了脚背。

阿空把他们一个一个地抱上饭桌。他们装模作样，一字排开，背对观众，让人猜不透他们究竟要干什么。

　　"嗨！"

　　四个人突然吼一嗓子，把大家都吓了一跳。

　　集体转身，一个夸张的亮相动作：清一色的单手叉腰。他们都想像电视上的男模特那样，做出最酷的表情，结果在他们的脸上，这样的表情实在不敢恭维：马小跳咬牙切齿，一副恨铁不成钢的样子；唐飞像吃多了不消化；毛超像腿肚子在抽筋；张达憋得满脸通红，像拉不出大便的表情。

　　毛超朝前跨一步："四季服装展示会现在开始！"

　　"我是……春天，我……生机勃……勃……"

　　张达穿的是阿空的毛衣，穿在他身上像一件睡袍。

　　"我是夏天，我热情似火。"

　　毛超穿的是阿空的短袖T恤，穿在他身上，短袖变成了长袖，那样子特别可怜，像没吃过饱饭的难民儿童。

"我是秋天，我秋风扫落叶。"

马小跳穿的是阿空的一件黑色西装，穿在他身上像一件长大衣。光脖子上还系着阿空的一条领带，也长得在桌面上扫来扫去，简直就是一条绊脚绳，有一次还差一点把马小跳绊倒。

"我是冬天，我冷若冰霜。"

唐飞穿的是阿空的羽绒服，穿在他身上，就像身上裹着一个又厚又暖的睡袋。

展示会有始有终，毛超宣布："四季服装展示会到此结束！"

阿空早笑倒在他那巨大的床上。他的笑声轰然作响，仿佛要把这座房子的房顶掀起来似的。

有生以来，巨人阿空从来没有这样开怀大笑过，马小跳他们也从来没有听到过这样震耳欲聋的笑声。

巨人阿空笑够了，马小跳他们几个也换上自己的衣服，从衣柜里出来了。

阿空来到他们中间，说也要给他们表演一个节目。

阿空让马小跳站到他的左边来，双手握住他的左手腕，又让毛超站到他的右边去，双手握住他的右手

腕。

马小跳和毛超都不知道阿空要干什么。

阿空握紧双拳："我要开始了！"

阿空伸直手臂，慢慢地向上举。

马小跳和毛超的双脚离地了！

"太棒了！"

杜真子尖叫着，路曼曼和夏林果拼命地鼓掌。

巨人阿空的双臂还在向上举。当他双臂伸平时，马小跳发现他的手臂鼓鼓的，肌肉十分发达。

巨人阿空原地转起来，越转越快，马小跳和毛超像飞起来一样。

"嗷噢——"

所有的人都在尖叫。

阿空慢慢地停下来，让马小跳和毛超慢慢落地。

马小跳和毛超站都站不稳，直嚷头晕，可阿空面不改色心不跳。

"我也要来一次！"

"我……也要……"

唐飞和张达早已站在了巨人阿空的身边，唐飞握住阿空的左手腕，张达握住阿空的右手腕。

巨人握紧拳头："我要开始了！"

唐飞和张达的双脚离地了！

唐飞和张达飞起来了！

把唐飞和张达放下来，阿空还不累，他问三个女生，敢不敢玩？三个女生都说敢。

阿空有办法让三个女生一起上。他把一条粗绳子套在他的手腕上，挽了两个套，让路曼曼和夏林果吊在这一只手腕上，杜真子吊在另一只手腕上。

杜真子的双脚离地了！

路曼曼和夏林果的双脚离地了！

巨人阿空原地转动，越转越快。

杜真子飞起来啦！

路曼曼和夏林果飞起来啦！

开敞篷赛车的狗

　　马小跳要把瘫痪的腊肠狗拖拖带到裴帆哥哥的宠物医院去治病。巨人阿空就要离开他心爱的小狗狗了。临别时，阿空恋恋不舍，拿出他的一只皮鞋来，交到马小跳的手中。

　　"拖拖每晚都躺在这里面才睡得着。"

　　这只皮鞋有一尺多长，阿空已经把它穿得很柔软了。

"还有——"阿空堂堂男儿，突然变得婆婆妈妈，"尽量不要让它在地上爬动，它的肚皮和后腿已经磨破了。"

"这是它的车。"马小跳指着他送给腊肠狗拖拖的敞篷赛车，"有了这辆车，它就不用再爬了。"

"可是，它不能老呆在车里呀！"

马小跳说："所以，我们要请裴帆哥哥把它医好！"

回去时，天色已晚，估计裴帆哥哥也下班回家了，马小跳直接把腊肠狗拖拖带到裴帆哥哥家。

马小跳一手抱着敞篷赛车，车里趴着腊肠狗拖拖；一手提着阿空那只巨大的皮鞋，出现在裴帆哥哥的面前。

"马小跳，你这是……"

看马小跳神秘兮兮的样子，裴帆哥哥就知道马小跳又要玩新花招。裴帆哥哥就喜欢跟马小跳玩，他能玩得不重样，能玩得花样翻新。

"裴帆哥哥，我们进去说。"

马小跳一进门，就把赛车放在地板上，再一摁手中的遥控板，赛车便跑到了客厅里。

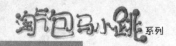

"马小跳，你真会玩啊！"

马小跳把腊肠狗拖拖从赛车里抱出来，放在地板上："裴帆哥哥，这狗瘫痪了，你救救它吧！"

裴帆哥哥把腊肠狗拖拖抱到沙发上，捏捏它的背脊骨，又捏捏它的两条后腿，问马小跳："它瘫痪多长时间了？"

马小跳摇摇头。就是巨人阿空，也不知道这狗什么时候瘫痪的。因为阿空遇见它时，它已经瘫痪了。

裴帆哥哥说，腊肠狗的瘫痪是由缺钙造成的，这是腊肠狗的常见病。因为腊肠狗的脊骨比一般狗的脊骨至少长两节，缺钙便容易造成瘫痪。如果发现得早，及时补钙是可以治好的。

"裴帆哥哥，你能把拖拖治好吗？"

裴帆哥哥说："这狗瘫痪的时间太长了，可能比较难。"

一想到孤独寂寞的巨人阿空，马小跳一定不能让他失望。

"裴帆哥哥，你答应我，一定治好它！"

"我尽力吧！你明天把它带到医院里来吧！哦，马小跳，我还没问你，这狗你是从哪儿弄来的？"

"这……"

马小跳不能说，他得赶紧撤。

"嘿嘿，我还没吃饭，裴帆哥哥再见！"

"马小跳，你不告诉我，我就不给这狗治病。"

裴帆哥哥本来是吓唬马小跳的，哪知马小跳也有对付裴帆哥哥的杀手锏。

"裴帆哥哥，如果麦冬娜姐姐让你治，你治不治？"

现在，麦冬娜姐姐是裴帆哥哥的女朋友，他们俩是通过马小跳才认识的。

马小跳把拖拖抱进赛车里，又弯腰去提那只巨大的鞋——刚才，裴帆哥哥的注意力都在那只腊肠狗身上，所以现在才发现这只鞋。

"马小跳，这是谁的鞋呀，那么大？"

"这是狗的床。"

"这明明是一只鞋，怎么会是床呢？"

马小跳又开始胡搅蛮缠了："人的床可以是沙发床、钢丝床、棕垫床，狗的床为什么不可以是鞋子床呢？"

裴帆哥哥还在琢磨马小跳的话，马小跳已经悄悄溜了出去。

马小跳回到家，家里没人。他饿坏了，像饿狼似的向餐桌扑去。他想起巨人阿空吃饭时，老把拖拖放在桌上和它一起吃，马小跳也不能慢待拖拖。

马小跳把拖拖抱到桌子上，挑几块糖醋排骨，再挑几块红烧带鱼放在盘子里，摆在它面前。

马小跳刚端起他自己的饭碗，马天笑先生突然现身了。其实，他一直在家里。刚才，他听见马小跳开门的声音，马上藏身在客厅的落地窗窗帘后面。他以为马小跳会找他，哪知马小跳直奔餐桌，根本没有要找他的意思，所以他只好自己从窗帘后面出来了。

"马小跳！"

马小跳一惊，筷子上夹的一块糖醋排骨掉在了地上。

"老爸，你吓死我了！"

"出去一整天，干什么去了？"

"种土豆去了。"马小跳指着衣服上的一块泥巴印，"看，这是种土豆的泥巴，不是灰尘。你再看我的脸——"

马小跳的脸都被烈日晒伤了，可马天笑先生没看

马小跳的脸，他看见那只正在餐桌上啃排骨的腊肠狗。

"这狗是从哪儿来的？"

马小跳答非所问："这狗瘫痪了。"

"狗也瘫痪？"

"狗和人一样，人有瘫痪的，狗也有瘫痪的。这狗是因为缺钙瘫痪的，从腰以下就没有知觉了。我把你设计的那辆遥控赛车送它了。老爸，你真了不起，这车就像专门为它量身定做的一样。"

马天笑先生把拖拖抱进敞篷汽车里，真的再合适不过了，刚好能放进去。

马天笑先生手里拿着遥控板，这辆玩具车是他设计的，所以玩起来，他比马小跳还玩得好。

赛车载着拖拖在客厅的地板上奔驰，一会儿一个急转弯，一会儿一个急转弯，把腊肠狗的头都转晕了，马天笑先生却转出了一个灵感：他要给拖拖设计一个两轮车，来代替它的两条后腿，让它可以跑起来。

最有情义的动物

　　要说狗是最有情义的动物，马小跳深有同感。夜深人静，马小跳要睡觉了，他把拖拖抱到他的房间。他没有把拖拖放进那只巨大的皮鞋里睡觉，太热了，他怕拖拖不舒服。

　　马小跳关了灯，还没睡着，就听见有呜咽声，地板上还有拖东西的声音。

　　"谁？"

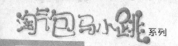

巨人的城堡

马小跳开了灯，他看见拖拖已经离开了原来的地方，它拖着长长的身子和两条没有知觉的后腿，经过的地方却有水印，那是拖拖流的眼泪。

"你想阿空，是不是？"

马小跳更加怜爱这只瘫痪的腊肠狗，他把它抱上床，挨在他的身边。

马小跳太累了，他很快就睡着了，而且睡得挺沉，连拖拖从床上掉在地板上，他都不知道。

拖拖没有停止流泪，也没有停止呜咽，它拖着长长的身子，向门边爬去，它要回到那座像城堡一样的房子里，它要回到巨人阿空的身边。

拖拖已经爬到客厅的门边了，它用两只前爪抓门，用嘴啃门，弄出了像小偷撬门那样的动静。

马小跳仍然睡得很沉很沉。

马天笑先生已经醒了，他一手握一根高尔夫球杆，从他的卧室里出来了。

马天笑先生来到马小跳的房间，硬把马小跳弄醒："快起来，有小偷！"

一听有小偷，马小跳清醒了。马天笑先生递了一根高尔夫球杆给马小跳，父子俩双手紧握高尔夫球

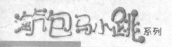

杆，进了客厅。

那"撬门"的动静还没停下来。

马小跳怒目圆睁，大吼一声："小偷，你被包围了！"

一声让人心碎的呜咽，马小跳一下子明白了："嗨，老爸，开灯！开灯！"

客厅里的灯亮了，一看，果然是腊肠狗拖拖。

"它想回家。"马天笑先生也对这条有情有义的狗充满了怜爱，"它的家在哪里？"

马小跳当然不能说出它的家在哪里。他把那只巨大的皮鞋拿出来："这就是它的家，可是太热了，睡在里面太难受。"

"那是你的感受，不是狗的感受。"

身兼玩具厂厂长和玩具设计师的马天笑先生，整天沉浸在奇思妙想中，对那只巨大的皮鞋，他并没有多大的好奇。他让马小跳把他房间里空调的温度调低一点，狗在大皮鞋里就不会难受了。

"我冷怎么办？"

"你不会盖上厚被子吗？"

"哇！"马小跳一拍脑门儿，"我怎么没想到

呢？"

马小跳又把拖拖抱回他的房间，调低了空调的温度，然后把拖拖放进巨大的皮鞋里。

拖拖没有再发出呜咽声，也不再流眼泪，它嗅到了阿空的气息，仿佛又回到了阿空的身边。

马小跳回到床上，盖上厚厚的被子。在他闭上眼睛的一刹那，他想到了一个问题：拖拖都这么想念阿空，阿空是不是也会想念拖拖呢？无论如何，明天要把拖拖带回去看看阿空。

第二天，唐飞、毛超和张达一早就来到马小跳家。

"你们来干什么？"

毛超说："不是要带拖拖去看病吗？"

马小跳说："那也用不了那么多人。又不是上山打老虎。"

这话唐飞不爱听了。"马小跳，给拖拖看病，是我们大家的事，又不是你一个人的事。还有，你刚才说什么来着？'上山打老虎'，老虎又没惹你，你凭什么要打老虎？"

毛超跟唐飞一唱一和："马小跳，老虎是国家一

最有情义的动物

级保护动物，你敢打吗？你不怕犯法吗？"

马小跳急了："我只是打了一个比喻。"

他们几个在一起，很多时候，都在打嘴仗。

裴帆哥哥的宠物医院离马小跳家不远，有一条很好走的道路。他们把拖拖放进敞篷赛车里，马小跳一摁遥控板，赛车载着拖拖向前奔驰。

赛车在前面跑，马小跳他们几个跟在后面跑，街上无论是骑车的，还是走路的，都会停下来观看这一道难得一见的风景。能吸引那么多人的眼球，马小跳他们神气极了。就这样招摇过市，一路跑到裴帆哥哥的宠物医院。

裴帆哥哥给拖拖输了液，给它的身体补充钙和维生素。

"裴帆哥哥，什么时候能把拖拖治好？"

"这是慢性病，需要时间。"

马小跳告诉他们，他爸爸要给拖拖设计一辆两轮车，来代替拖拖已经失去知觉的两条后腿，这样，拖拖就能跑起来。

"马小跳，你又在吹牛吧？"唐飞又开始和马小跳打嘴仗，"只看过瘫痪的人坐轮椅，谁见过瘫痪的狗坐轮车的？"

"这完全有可能！"裴帆哥哥兴奋极了，"拖拖的前肢发育得非常好，健壮有力，完全可以带动后面的两个轮子。马小跳，我这就去找你的爸爸，我要给他一些建议。"

给拖拖输完液，从宠物医院里出来，马小跳对唐飞说："你叫小王开车，再送我们去一趟阿空那里吧！"

马小跳把昨晚的事情讲给他们几个听了。

司机小王很快开着"悍马"越野车来了。他想当然地以为他们又要去开荒种地，唐飞顺着他的话说："对，我们准备再去开出一亩地。"

"啊呀，一亩地？"小王的眼睛不看前面看唐飞，"你知道一亩地有多大吗？"

一亩地当然是一亩大。唐飞根本不想回答小王的问题，他很严肃地说："小王，好好开你的车。"

小王把车开得风快。像"悍马"这样的霸王车开在路上，所有的车都得给它让路。

怕司机小王给唐飞的爸爸打小报告，还是不能让他知道那座住着一个巨人的房子，他们提前下了车。

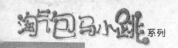

巨人的城堡

　　巨人阿空已经回来了，因为他那辆像集装箱一样的房车正停在那里。

　　离巨人的房子越来越近，他们听到从房子里传来了奇怪的声音——像野兽的号叫。

巨人的忧伤

　　唐飞本来还在最前面，他马上躲到张达的身后："会不会有野兽跑进去了？"

　　"完全有可能。"毛超煞有介事，"阿空经常不关门。"

　　"阿空呢？他的车都在这里。"

　　毛超危言耸听："说不定阿空已经被野兽吃了。"

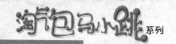

马小跳说："这里又不是深山老林，不会有野兽的。"

唐飞将马小跳一推："那你走前面。"

走前面就走前面！马小跳壮起胆，带头向前走。

离巨人的房子越近，那种奇怪的声音越大。马小跳的心里也在打鼓：这声音太像野兽的号叫了，会不会真的是野兽？

已经到了门前，马小跳停下脚步："我数一二三，我们一起冲进去！"

"一！二！三——冲！"

马小跳把门撞开，几个人冲了进去——哪里有什么野兽，是巨人阿空趴在桌上号啕大哭。

那巨大的桌子上，横七竖八地有十几个啤酒瓶子，有几个还滚到地上，摔得粉碎。

地上的乌龟，都被阿空的哭声吓得把头缩进壳里。

"他喝醉了。"

"是因为想拖拖吗？"

"想拖拖也不至于醉成这样。"毛超说，"阿空这是借酒消愁，他一定有很烦恼很烦恼的事情。"

马小跳踮着脚,把拖拖抱到桌上。拖拖爬过去,伸出舌头来,舔阿空的脸,舔阿空的鼻子,舔阿空的眼睛。

"是拖……拖拖吗?是我的拖拖吗?"阿空的眼睛半睁半闭,向拖拖诉说着,"那个老汽车城倒闭了……没了……是他们利用了人们猎奇的心理,他们把我当做招揽顾客的工……具……"

酒后吐真言,这才是阿空心里的烦恼吗?

拖拖两只乌溜溜的黑眼睛,深情地望着阿空,不时地点一下头,嘴里发出呼噜呼噜的声音,表示它听懂了,表示它理解。

可是,马小跳他们都没听懂,也不理解。

"我怎么越听越糊涂?"唐飞说,"他好像说,老汽车城没了,被新汽车城兼并了,这是好事呀!这都是他阿空的功劳,他应该高兴啊!他怎么还伤心?"

毛超说:"他说他被当做工具,还说什么利用人们的'猎奇心理',这里面会不会有不正当竞争?"

唐飞反驳毛超:"现在是竞争的年代,那老汽车城还不是用美女车模来引吸人,只不过她们的吸引力没有巨人的吸引力大。"

"我想阿空是厌倦了他的工作。"马小跳说，"虽然每天有那么多人去看他，可他心里又想把自己藏起来，想与世隔绝，所以是心里的矛盾在折磨他。我们怎么才能让他快乐起来呢？"

张达说："我们带他……去玩。"

"去哪儿玩？到哪儿都是人，阿空还是会被人围观，他还是不开心。"

"到我外婆……家去。我外婆家有……有……一个桃园，桃子都熟了，摘……桃子……很好玩……"

张达很少一口气说这么多的话，说得脸红脖子粗。

"你怎么不早说呀？"唐飞早就激动了，"我们可从来没听说你外婆家还有个桃园。一共有几棵桃树？"

"几百棵。"

不是几棵，也不是几十棵，而是几百棵。

唐飞摩拳擦掌，恨不得变成孙悟空，一个跟头翻到张达外婆家的桃园去。

阿空打了一个响亮的饱嗝儿。

"他会不会吐？"

"快去拿桶！"

阿空家的桶也是特大号的桶。张达刚把桶拿来，阿空哇的一声就吐了。

哗——哗——

阿空吐得气势磅礴，像决堤的洪水，哗哗地吐了满满一桶。

毛超看都看傻了："怎么这么多呀？"

"废话！"马小跳说，"这是巨人吐的，当然有这么多。"

他们把满屋子的酒瓶子都收拾了，桌上地上都打扫干净了，还给阿空洗了脸。

阿空吐了后，也不再哭闹，渐渐地睡去了，呼噜声惊天动地，整座房子轰然作响，仿佛要倒塌似的。

让巨人阿空好好睡一觉，在酣睡中忘记他的烦恼、他的忧伤吧。

马小跳他们还是带走了拖拖，它得天天去裴帆哥哥的宠物医院输液。

马小跳抱着拖拖回到家里，不仅他老爸马天笑先生在等他们，裴帆哥哥也在等他们。

"快，快让拖拖来试试！"

　　马天笑先生专门为拖拖设计的两轮车已做好了，这是他和裴帆哥哥共同完成的。他们把两轮车垫在拖拖身体的后半部分，用两根皮带，一根固定在腰那里，一根固定在屁股那里。

　　固定好后，拖拖站了起来，这是拖拖瘫痪后第一次站起来。

　　马天笑先生拿出皮尺来，量量拖拖前腿的高度，又量量后面轮子的高度，然后把皮尺收起来，对裴帆哥哥说："可以了！"

　　"拖拖，我们来跑跑！"裴帆哥哥抚摸着拖拖的脊背，突然把它向前一推，"跑！"

　　拖拖迈动两条前腿，带动后面的两个轮子也滚动起来。

　　"成功了！"

　　拖拖兴奋不已，它一跑起来就停不下来，在客厅里跑了一圈又一圈。

　　马小跳宣布："以后，不许再叫它拖拖，叫它跑跑！"

老年痴呆症

    不知巨人阿空酒醒没有，马小跳他们迫不及待地要把拖拖能跑的好消息告诉他。

    阿空还没完全醒过来。

    马小跳、唐飞、毛超、张达一起动手，把阿空摇醒："阿空，快醒醒！你看拖拖能跑了！"

    "拖拖能跑了？"阿空终于把眼睛睁开了，"不是做梦吧？"

"不是做梦，是真的！"

拖拖早就在地上跑起来，它还能自如地绕开地上那些乌龟。

"这是谁家的狗啊？"

阿空还没有完全清醒过来。"这就是拖拖呀！"马小跳说，"现在给它改名字了，叫'跑跑'，你同意吗？"

阿空终于认出来了，这只在地上跑来跑去的狗，正是他的瘫痪的腊肠狗。

阿空高兴得手舞足蹈，他敞开喉咙唱起歌来。

巨人的肺活量不知要比一般人的大多少倍，他的歌声震耳欲聋。地上的乌龟们又吓得把脑袋缩进壳里。

"好多年不唱了。"阿空今天的心情很好，"我小时候，站在这个山头唱歌，隔着几座山都能听见我的歌声。"

马小跳他们完全相信。阿空就刚才那么几嗓子，已经震得他们的耳膜隐隐作痛。

"阿空，今天我们出去玩吧！"

阿空就怕出去玩，他怕遭人围观。

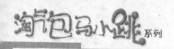

巨人的城堡

"就在这里玩不行吗？"

唐飞赶紧说："我们要带你去的这个地方，保证不会有人围观你。"

阿空今天太开心了，他不想扫这几个男孩子的兴。

阿空开上他的房车，张达带路，向他外婆的桃园驶去。

出了高速公路，便进入了浅丘地带。连绵起伏、略带红色的土地上，是硕果累累的果林，一望无际。

这样的情景，对唐飞来说，是无法拒绝的诱惑。

"停车！阿空，停车！"

"停车干什么？这又不是你家栽的果树，你想当小偷吗？"

马小跳对唐飞一点都不客气。还是张达为人厚道，他说他外婆家马上就到了。

"看山坡上……那……红顶房子，就是我外婆……家……"

阿空的房车拐了一个弯，又爬上一个坡，在红顶房子前的空地上停了下了。

张达最先跳下车，一路叫着"外婆"。

一位慈眉善眼的白发老太太从屋里迎出来："是我的宝贝外孙来啦！"

"不是我……一个人来的……还有……"

张达向马小跳他们一招手，毛超动作最快，嘴巴也最甜，扑到老太太跟前就叫"外婆"。张达的外婆，就是他们几个的外婆，这是理所当然的。他们几个争先恐后地叫着"外婆"。

老太太心花怒放，突然间冒出这么多"外孙"来，她笑得嘴都合不上。

"外婆……还有……一个……人……阿空……出来吧……"

阿空从他的房车里出来，他也叫老太太"外婆"。

外婆抬头望着阿空，倒退几步："你……你是外星人吧？"

"外婆，阿空不是外星人。"毛超扶住外婆，"他跟我们一样，只不过比我们高一点点。"

外婆不同意："才高一点点吗？"

"哦，哦，是比我们高很多。"

外婆指着阿空的房车："怎么把房子也搬来

了？"

"外婆，那不是房子，那是阿空的房车。"

"房车？房车就是这样子的？"外婆说，"我听人说，现在城里人结婚，都租房车，拉着新郎新娘到处玩。今年，是我和张达外公结婚五十周年，是金婚，要隆重纪念的。我还琢磨，要去租辆房车，拉着我和张达外公，也出去风光风光。"

阿空马上说："外婆，你不用去租房车，我就用我的车，拉你和外公出去风光风光。"

说了半天，大家都还没见到张达的外公。

"喂饭呢！"外婆边说边往屋里走，"我正给他喂饭呢。"

喂饭？给谁喂饭？除了张达，大伙儿都听糊涂了。

一进屋，便看见一个白胡子爷爷。他坐在轮椅上，脖子上围着一条白毛巾，两眼无神，嘴里反反复复地说着一个字："饭……饭……饭……"

"好好好，咱们吃饭！"

外婆赶紧端起碗，碗里是蒸蛋肉末拌饭。外婆舀一勺子，喂进他的嘴里，再用毛巾揩揩他的嘴巴。

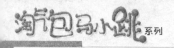

巨人的城堡

这就是张达的外公，他患了老年痴呆症。

虽然马小跳他们不知道老年痴呆症是什么病，但明白"痴呆"二字的意思。

外公吃饭非常香，那满足的样子像小孩子在吃冰淇淋一样。

尽管外婆已经给外公介绍过了，马小跳、唐飞、毛超还有阿空是张达带来的好朋友，可是，外公还是坚持叫他们每个人都是张达，他指着阿空说："张达长得好高好高……"

如果说，刚才阿空要用他的房车拉张达的外公外婆出去"风光风光"来纪念金婚是随口说说的话，那么，在看见患老年痴呆症的外公以后，他已把刚才随口说说的话变成了他的诺言——他一定要实现的诺言。

外婆的鲜桃宴

　　唐飞从来不把自己当外人，到了张达外婆的家，就像到了他外婆家一样。按照他的逻辑，张达是他的好朋友，张达的外婆就是他的外婆。

　　唐飞心中一直惦记着那树上的桃子："外婆，咱家的桃子能摘了吗？"

　　"能摘能摘。"外婆并没有完全听懂唐飞话中的意思，"我现在就是缺人手，罐头厂把满园的桃子都

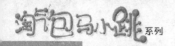

买断了，我明天就去请帮工。"

阿空说："外婆，你不用去请帮工，我帮你摘桃子吧！"

"那太好了！"外婆说，"阿空摘桃子，不用搭梯子。"

"外婆，说干就干，现在就去摘吧！"

外婆给他们一人发了一只藤编的篮子，挎在肩上，带着他们走进桃林。

桃林里弥漫着甜丝丝的鲜桃香味。唐飞吸着鼻子，不说好香，却说好看。

"春天……才好看。"张达说，"开了……一树花……桃花……"

张达说话结巴，他的话经常不连贯或前言不搭后语，但马小跳他们几个听惯了，连猜带蒙，都能蒙出意思来。

唐飞反驳张达："桃花哪有桃子好看！桃子能吃，桃花不能吃。"

毛超又来当和事佬："桃花好看，桃子好吃。"

不过，外婆也说桃树结桃子的时候好看："圆圆的脸，尖尖的下巴，红着小嘴儿，藏在绿叶中间，像害羞的仙女。"

唐飞是个不达目的誓不罢休的人，他还在跟外婆绕："外婆，用不用先尝一尝，才知道哪些桃能摘，哪些桃不能摘？"

"不用尝！不用尝！"外婆还是领会不到唐飞话中的意思，"你挑个儿大、嘴儿红的桃儿摘，准没错！"

张达对唐飞了如指掌，用一句不雅的话来形容，那就是唐飞翘翘尾巴，哦，唐飞没有尾巴，就翘翘屁股吧，张达都知道他要拉屎或屙尿。

"唐飞……你想吃……就摘一个吃……"

张达的话提醒了外婆："看我老糊涂了，我都忘了请你们吃桃子。别忙着干活儿，先吃桃！先吃桃！"

唐飞早就瞄好了一个大桃子，伸手就把它摘了下来，张嘴就想啃！

"别……别……"外婆从唐飞手上抢下那个大桃，"有毛，吃不得的。"

"什么毛？"

唐飞从来不知道桃子皮上有一层绒毛。在家里，他都是从果盘里拿起来就啃，不知道保姆都是把桃洗干净后，才放进果盘里的。

"什么毛？仙女脸上的汗毛，你敢吃吗？"

毛超又开始练嘴皮子。

外婆叫张达去打了一桶水来洗桃。

唐飞一口气吃了三个大桃，现在正在吃第四个。马小跳也吃了两个，毛超一个还没吃。他说他从小吃的桃都是软软的桃，树上的桃怎么都是硬的？

"硬才脆。"唐飞是个美食家，"半夜吃桃才捏软的吃，现在大白天的，就得吃硬的。"

"好吧，我豁出去了，我就吃一个硬桃。"

毛超不相信硬桃比软桃好吃，咬下第一口，那声音，那口感，就一个字：爽！

毛超不得不心服口服：硬桃比软桃好吃多了。

阿空吃桃是最爽的。他伸手就能摘到树顶上的大桃子，一口咬下一半来，再看留在他手中的另一半，鲜美的果肉红是红，白是白，再用手指把桃核抠下来，把另一半送进口中。

阿空一口气吃了八个桃。

"不能再吃了，得留点肚子，我这就回去，给你

们做鲜桃宴。"外婆说。

张达结结巴巴地告诉他们，"鲜桃宴"就是全部用桃子做的菜。他外婆做的鲜桃宴闻名四方，只有尊贵的客人，才能吃到他外婆做的鲜桃宴。

"咦！"毛超沾沾自喜，"我们是尊贵的客人？"

还是马小跳有自知之明："阿空是尊贵的客人，我们是沾了阿空的光。"

开始干活儿了。

他们跟着阿空，只需带着篮子，阿空把树上的桃子摘下来，放进他们的篮子里。张达再负责将篮子里的桃一个一个放到大筐里，不能有一点点碰伤。

阿空摘桃子，真是一把好手。跟那些帮工比起来，他一个顶仨。因为他不用搭梯子爬上爬下，就是结在树梢上的桃子，他也一伸手就能摘到。

只一个下午的工夫，阿空便从树上摘下几十筐大桃子。

"开宴啰！开宴啰！"

外婆的鲜桃宴做好了，她一路喊着进桃林。

"外婆，我们在桃树下吃鲜桃宴好不好？"

巨人的城堡

淘气包马小跳系列

"好！"毛超拍拍马小跳的肩膀，"有情调有情调！"

　　马小跳甩开毛超拍他肩膀的手："我又没问你，你是外婆吗？"

　　眼看着马小跳和毛超又要打起嘴仗来，外婆忙叫他们跟她去端菜。

　　桌子搬来了，因为阿空是外婆的贵客，桌子下面垫了一尺高的砖头，再铺上雪白的桌布。这样高的餐桌，阿空坐在旁边吃刚合适，马小跳他们几个就只能站着吃了。

　　唐飞说他就喜欢站着吃，吃好多好多，肚子都吃不胀。

　　外婆的鲜桃宴，是三菜一汤一主食，他们和外婆正好一人端一样，从红顶房子里端到桃林里来，摆上餐桌。

　　马小跳端的是鲜桃拔丝，滚烫晶亮。

　　唐飞端的是枣泥核桃，这是一道蒸菜。

　　毛超端的是玻璃桃片，这是一道炒菜。

　　张达端的是红桃汤。

　　外婆走在最后，她端着一大盘主食——鲜桃肉包，白面做的，里面包着桃肉馅，形状、颜色都跟真桃子一模一样，形象逼真。

所有的菜品都是桃子做的，喝的饮料也是鲜榨桃汁。

菜都摆上了桌，杯子里倒满了桃汁，外婆的鲜桃宴开吃了！

阿空的世外桃园

　　晚风阵阵吹过桃林，那满天的彩霞、鸣叫的归鸟，更为桃树下的鲜桃宴增添了几分诗情画意。

　　"啊……啊……"

　　毛超不抒发一下，心里会憋得难受。可"啊"了半天，都没找到合适的词儿。

　　书到用时方恨少。那么多的词儿，都跑到哪儿去了？

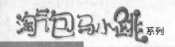

"啊什么啊？"唐飞的筷子一直忙得没停下来过，"你再不吃，就没有了。"

毛超夹起一块鲜桃拔丝，那细细的、亮亮的丝，从盘子里拖到桌子上，再拖到毛超的下巴上。

"啊……啊……"

这次"啊"，不是毛超在作诗，是鲜桃拔丝把他的嘴烫了。

"看着像冰块儿，怎么这么烫呀？烫死我了！"

"说明外婆的拔丝做得地道。"唐飞教训毛超，"吃拔丝哪能像你那样吃？学着点儿，我吃给你看。"

唐飞夹起一块鲜桃拔丝，十分老练地放进凉水碗里醮几醮，再放进嘴里。

每人面前都有一个小瓷罐子，每个小罐子里都放着一整只蒸熟的桃子。

"外婆，这道菜为什么叫枣泥核桃？"

外婆把蒸桃分成两半，露出黑里透红的"桃核"来，跟真的桃核没什么两样。外婆用勺子把"桃核"挖出来，喂给阿空吃。

"好吃吗？"

"好吃，甜的。"

"这就是用大红枣捣成的枣泥。"

"外婆，这道菜怎么做的？"

外婆说，把桃一分为二，把桃核取出来，把枣泥填进去，再把两半桃合在一起蒸，蒸好后便又成了一个完完整整的桃。吃这道菜，要用勺子舀着吃。先吃核，再吃桃。

大家举杯，为外婆的枣泥核桃干杯！

马小跳最喜欢那盘玻璃桃片。那桃片切得像纸一样薄，夹一片对着天光一照，像玻璃一样透明。

外婆做的红桃汤，更是色香味俱全。汤是桃花那样的艳红，却清澈见底，汤底卧着好多肉乎乎的红球。喝一口汤，满嘴含香，桃子所有的香味都在汤里了。再吃那肉乎乎的红球，那是紧紧裹住桃核的一层红色的桃肉。桃肉的红是由里向外放射的，里面最红，红到表面，便已经成白的了。这红桃汤的红，就是最里面的桃肉熬出来的。

大家又举杯，为外婆鲜美无比的红桃汤干杯。

外婆说，一边喝红桃汤，一边吃鲜桃肉包，更有味道。

外婆给每人夹了一个鲜桃肉包。这鲜桃肉包的形状、颜色几乎可以和树上的桃子乱真，就连那嘴儿上的红，也是点上去，然后放射性地向四周渲染；皮上的白中带绿，是绿色的蔬菜汁和的白面粉。

唐飞吃了两个鲜桃肉包，再也吃不动了。

"我现在才知道，孙悟空为什么要去偷王母娘娘的仙桃了。"

"可是，孙悟空还没吃过这样的鲜桃宴。因为王母娘娘不会做鲜桃宴。"

阿空这是在夸外婆，外婆笑眯眯的，又给阿空夹了两个鲜桃肉包。

"外婆，我已经吃了六个。"

"再吃两个，才八个。"

"外婆，我都不想走了，我想留在这里为你干活儿。"

外婆以为阿空是说着玩的。

其实，这是阿空的真心话。下午在摘桃子的时候，他一直在想，想了一下午，他终于想明白了，这里才是真正需要他的地方。他已经向张达打听过了，外婆和外公虽然有三个儿女，却都在城里工作，有两个还在外地，以前都是外公和外婆在打理这个桃园。

现在，外公病了，外婆老了，她还要照顾外公，平日里都是请帮工来做桃园里的工作。阿空喜欢桃园，喜欢做桃园里的工作，喜欢外婆和外公，他想照顾他们。

如果阿空真的能留下来，对外公和外婆来说，是天大的好事，但外婆还是有点不相信。

"你在汽车城工作，那么好的工作，工资又高，你舍得吗？"

"再好的工作，一定要喜欢才行。"阿空十分诚恳，"外婆，我喜欢这里的工作。"

毛超嘴快："外婆，阿空真的不喜欢汽车城的工作。昨天，他哭得可凶了。"

"阿空，你真哭了？"

阿空有点难为情："是心里不痛快，喝醉了。"

马小跳他们几个也愿意阿空留在这里，他们一直有一种感觉：阿空不快乐。阿空不快乐的一个很重要的原因，就是不喜欢他在汽车城的工作，因为他的工作就是被人看，而阿空最受不了的，是人们看他那种奇怪的目光，这跟看动物园里的大猩猩有什么区别？当然，除了替阿空着想，马小跳他们也在打自己的小算盘：如果阿空留在这里，他们便可以经常到这里来

找阿空玩，还能吃到外婆做的鲜桃宴……

马小跳、唐飞、毛超和张达，集体为阿空求情：
"外婆，把阿空留下吧！"

"我同意啦！"外婆拉着阿空的手，"走，我们去问问外公，看他同意不同意？"

外公正在看电视。张达问他看的什么？他说好人和坏人。

患老年痴呆症的外公，智商和几岁小孩的智商一样。

"老头子！"外婆指着阿空问外公，"我们把他留下来好不好？"

外公要仰起头来，才能看见阿空的脸。阿空比吊在屋顶中央的电灯还高，外公就说电灯不亮。

"灯泡已坏了好几天，那么高，正愁没人换呢！"

阿空让外婆给他一个新灯泡，伸手便换了。

电灯亮了，屋里一下子亮堂起来。

外公拍着手，高兴得像孩子似的哇哇叫："留下，留下，天天换电灯泡……"

阿空留下来了，开始了他在桃园的生活——这才是他真正想要的生活。

摧毁心中的城堡

　　张达的外公和外婆的金婚纪念日就要到了，阿空要实现他对外婆许下的诺言：开着他的房车，让外公和外婆在他的房车里，度过这最最特别的一天。

　　在外婆的桃园才生活了几天，阿空仿佛变了一个人似的，性情格外开朗。他把他那像集装箱一样的房车也做了一些改变：在两边各开了一扇窗户，他说外公和外婆在里面，也能看到外面的风景。

开了窗的房车，现在真的像一座房子了。

毛超说："如果再挂上窗帘，就更像了。"

马小跳想起，在街上看到的婚车都装饰着鲜花，便说："如果再用花把车厢装饰起来，就更好看了！"

阿空搓着两只大手掌："我干力气活儿还可以，可做窗帘呀、装饰花儿呀这些事，我就不会了。"

张达说："我……外婆会做窗帘……"

阿空说："我们现在所做的一切，都不能让外婆知道，要在那一天，给她一个惊喜。"

"这些事情是女生做的，叫她们来做！"

马小跳知道，唐飞说的"女生"，其实就是杜真子。现在，有什么好事儿，唐飞都不会忘了杜真子，所以他明知故问："叫谁来做呢？"

"夏林果！"

这次，张达一点都不结巴，十分利索。

夏林果来，马小跳一点没意见。可是，如果她非要叫上路曼曼怎么办？夏林果什么都好，就一点不好，只要跟他们男生在一起，她就一定要叫上路曼曼。好容易放假了，在假期里还要被路曼曼管，这对马小跳来说，是一件十分痛苦的事情。

"得想个办法,只让夏林果来,不让路曼曼来。"

"马小跳, 好男不与女斗, 你'宰相肚里能撑船', 就放路曼曼一马吧!"

顺着毛超的话, 唐飞终于说出了他想说的话: "就是, 多一个人多一分力量。关键时刻, 我们要团结所有能团结的力量。比如,我们再叫上杜真子……"

"我不同意! "

"马小跳, 你怎么老跟女的过不去, 你是不是有问题呀? "

"你才有问题! "马小跳冲到唐飞跟前, 眼对眼, 鼻对鼻, "你什么事情都要叫上杜真子, 她又不是你的表妹, 你……"

眼看着又要打起来, 阿空把他俩分开, 说了一句让马小跳垂头丧气、让唐飞扬眉吐气的话: "杜真子? 就是那个会做土豆沙拉的女孩子吗? 挺可爱的, 叫她来吧! "

一回到家里, 唐飞就给杜真子打电话: "杜真子, 你知道什么是金婚吗? "

没想到杜真子不仅知道什么是金婚, 还反问唐飞，问他知不知道什么是钻石婚？

唐飞不知道什么是钻石婚，但他知道钻石比金子贵，金婚是结婚五十年，那么钻石婚会不会是金婚的两倍，一百年？

"钻石婚就是结婚一百年。"

唐飞蒙错了。结婚六十年，是钻石婚。结婚七十年，就是金刚钻石婚了。

"银婚呢？"

唐飞不知道什么是银婚，但他知道银子没有金子贵，会不会是金婚的一半，二十五年？

"银婚就是结婚二十五年。"

这次，唐飞蒙对了。

"纸婚呢？"

唐飞蒙不出来了。

"我告诉你吧，结婚一年是纸婚。唐飞，你还这么小，就想这些问题？"

"不是我，是张达的外公和外婆。"

绕了半天，这才绕到正题上。

唐飞给杜真子打电话，唐飞的爸爸和妈妈都竖起耳朵听，因为有一些字眼儿很敏感，比如"婚"。后

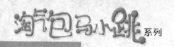

来审问了半天，弄清了事情的来龙去脉，马上给司机小王打电话，叫他向花店订购九百九十九朵玫瑰，白的，粉的，黄的，红的，要订最好的，送给张达的外公和外婆。

这太反常了！唐飞的爸爸虽然是个大富翁，可他从来不乱花一分钱。何况，他根本就不认识张达的外公和外婆，为什么要送这么贵重的玫瑰花？

"五十年，太不容易，令人羡慕啊！"唐飞的爸爸感慨万千。

感慨万千的，还有马小跳的爸爸妈妈。

"如果我们到了那一天，你说我们怎么庆祝？"

马天笑先生还在想，马小跳已经替他们想出来了："到了那一天，你们再重新举行一次婚礼。"

"为什么？"

"因为你们的婚礼我没看见。"

"那时根本就没有你。"

"所以，你们要在金婚那天重新举行一次婚礼，我想看。"

"到那时，我都老了，穿婚纱也不好看了。"

"在我眼里，你永远是最好看最好看的妈妈！"

马小跳的妈妈又被感动得一塌糊涂。她听说房车上需要两幅窗帘，她是橱窗设计师，知道什么样的款式最浪漫、最温馨。她做了两幅白色轻纱窗帘，有褶皱的幔，边上缀着蕾丝花边，作为金婚礼物，送给张达的外公和外婆。

　　提前一天，夏林果、路曼曼和杜真子去把阿空的房车装扮起来。唐飞爸爸送的九百九十九朵玫瑰，都用透明胶粘在了车上。在车头上，用红玫瑰拼贴了"金婚"两个大字。马小跳妈妈送的轻纱窗帘，也挂在房车新开的两个窗口上，一边一幅，车厢里顿时充满了浪漫和温馨。

　　张达的爸爸妈妈，送给外婆一件雪白的婚纱，送给外公一件黑色的礼服。

　　金婚纪念日那天，杜真子和路曼曼为外婆穿上婚纱，夏林果还为外婆化了妆。

　　已经穿上黑礼服的外公，一看见穿着婚纱的外婆，便孩子般地拍起手来："新娘子，好漂亮！新娘子，好漂亮！"

　　外公仿佛看见了五十年前的外婆，她好年轻啊！乌黑油亮的长辫子盘在脑后，发髻边插上一圈粉红的

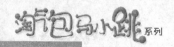

桃花。

"老头子，我们结婚去！"

外婆挽着外公的手，上了阿空的房车。

用玫瑰花装扮的花车向城里驶去。一路上，吸引了多少人羡慕的目光啊！每个人都在心里说：如果我有这一天……

不是每个人都能有这一天的。能够有这一天的人，是世界上最最幸运、最最幸福的人。

花车经过高尔夫球场，马小跳他们都想再去看看阿空原来住的地方。

那座像城堡一样的房子已经不在了，正如现在的阿空，不会再把自己封闭起来，他心中的城堡，也像那座如城堡一样的房子，被摧毁了。

那座房子本来就是汽车城专门为阿空建造的，阿空走了，房子也被拆掉了。

如果不是地里的土豆发芽，已经长出了厚厚的、毛茸茸的绿叶，很难想象这里曾经发生过的故事——一个巨人和几个孩子的故事。就是这几个孩子，用真用善用爱，摧毁了巨人心中的城堡，让灿烂的阳光，照耀他的心房。

附　录

理直气壮做孩子

采访人:李　虹(《中国图书商报·书评周刊》编辑)
受访人:杨红樱(本书作者)
时　间:2003 年 12 月

李:接力出版社于 2003 年 7 月推出了你的长篇儿童小说新作"淘气包马小跳系列"三种:《贪玩老爸》、《轰隆隆老师》和《笨女孩安琪儿》。8 月,我们又看到了这个系列的新三种:《四个调皮蛋》、《同桌冤家》和《暑假奇遇》。据介绍,2004 年元月,你的这个"淘气包马小跳系列"又要推出新的三种。即便你是专业作家,我也会觉得你写得很快,何况目前你还担任着《青年作家》杂志社副编审之职呢。你是从什么时候开始创作"马小跳系列"的? 这个系列的总体规划是怎样的?

杨:想写一个纯粹的男孩子,这个念头已经有很多年了。大概是写《女生日记》以前,就开始写了,用第一人称写的,写了三本,觉得写不下去了,叙述的局限性太大,索性停下来。我的笔是停下来了,"马小跳"却停不下来,他老在我的眼前跳来跳去,跳来跳去,折腾了我好几年,迫使我不得不中断写得正火的"杨红樱校园小说系列"。重新再写的时候，改用第三人称写，写得非常顺利，完全出乎我的预料。从一开始，我就知道这会是一个比较长的系列，因为我要展现的是一个孩子，一个相对完整的童年和他眼睛里的成人世界。目前在我的计划中，"淘气包马小跳系列"会写十二种。

李：时下，人们谈起国内儿童书创作现状，第一公认的畅销书作家非你莫属。像"淘气包马小跳系列"，从目前已出版的六种看，出手快却并未有失水准，本本都没有辜负拥趸者的翘首盼望。你是不是掌握了创作"畅销童书"的什么秘诀？

杨：前几天，一个学校邀请我去参加跟我的小书迷的见面会，一个小书迷说，翻开一本书，只要看上几行字，就知道是不是我写的。我问她为什么，她说读我的书，好像有一条暗的通道，我可以通到他们那儿去，他们可以通到我这儿来。我理解这位小书迷说的"通道"，就是通向孩子们心灵的道路。如果说我的创作有"秘诀"的话，也许就是这条"通道"吧。

李：在"淘气包马小跳系列"故事中，你描写的马小跳及其三个死党：张达、唐飞、毛超，不仅因为过于调皮捣蛋、惹是生非、不太遵守纪律而被老师和同学们视为永恒不变的"后进生"，而且还个个都长得"歪瓜裂枣"，其貌不扬。但偏偏就是这些率性而为、真情毕现、有些天不怕地不怕的"坏孩子"，成了校园生活的活力所在。正是他们使校园生活异彩纷呈，不仅太阳每天都是新的，而且太阳底下随时随地都是新鲜事。特别是，正是马小跳等一干淘气包最热爱生活，诚实善良，充满爱心。这种人物内在的张力，是你志在创作校园幽默小说的着意设置，还是基于你对孩子和童年的一种认识或观念？

杨：像马小跳、张达、唐飞、毛超，都是最最普通的孩子，这是一个很大的群体，很值得写，但又很不好写，容易费力不讨好。这些普通孩子最具孩子本色，能在他们身上挖掘出许多鲜活的东西。对我来说，他们比那些聪明漂亮的出色孩子更具魅力。

李：你凝注"坏孩子"的精彩，使我格外注意你对几个公认的"好孩子"的态度。值得称道的是，无论是老师的"好帮手"路曼曼，还是美丽的"公主"夏林果和学习委员丁文涛，虽然或有些"小大人"气，或有些煞有介事，或有些小心眼，但一个有一个的可爱。他们依然是孩子，并没有类似儿童文学形象中容易出现的成人式的"城府"。而每个孩子，无论是"好孩子"还是"坏孩子"，其性格、习惯甚或一些习气，都不可避免地带有其家长的痕迹。你怎样看待和理解目下濡染于社会"大染缸"中的"童心"现状？

杨：相对马小跳这样的孩子来说，中队长路曼曼、漂亮女孩夏林果、小大人丁文涛这些出色的孩子，得到大人们的关爱和赏识肯定要多一些。为迎合大人们的喜好，这些出色的孩子还想更加出色，往往做出与年龄不相称的事情来。现代社会的功利和浮躁，多多少少会影响到孩子，"成人感"和"儿童心"的矛盾造成人格分裂。童心是需要呵护的。

李：你写马小跳、唐飞们对吃的无限热情、快乐和执著真是十分鲜活灵动，有时简直色香味扑面而来，唤醒了我对曾给过我许多美好感觉的零食的记忆，重新勾起了我对各种零食的向往，比如，唐飞总是在吃的米果，马小跳给生病在家的路曼曼买的巧克力樱桃小西饼，还有，几个调皮蛋在百无聊赖的自习课上想入非非的樱桃蛋糕。可你的这些描写处处行云流水，不着痕迹。你觉得你的创作是有技巧的吗？

杨：在细节的描写和动词的运用上，我是很下工夫的，也许这就是技巧。许多学校的语文老师向学生推荐我的作品，因为我写的都是孩子们身边的故事。要把生活中的事情写得生动，写得好看，是需要写作技巧的。

李：有评论说，你是一位"破解童心"的作家，你认为这是对你的一个很高的评价。请谈谈你对"破解童心"的理解。

杨：作为儿童文学作家，你写的是儿童，读你作品的也是儿童，你必须把他们放在一个很高很高的位置上，充分地尊重他们，这包括尊重他们在成长过程中所犯的错误。因为成长的过程，就是犯错误、改错误的过程。我这样的理念贯穿在"淘气包马小跳系列"中,孩子的天性得以淋漓尽致地展现,浓缩成马小跳的一句宣言,就是"理直气壮做孩子"!

李:很明显,你赞赏的家长是马小跳那位童心未泯,集著名玩具设计师和成功的玩具厂厂长于一身的贪玩老爸马天笑,他一手造就了马小跳"吊儿郎当、欢天喜地"的性情。在《四个调皮蛋》一册中,房地产公司的董事长和四个调皮蛋的爸爸们都是深深地怀念着童年的男人,在超负荷运转的都市拼搏中,因为还能为童年的故事而感动,所以懂得给自己调皮捣蛋的儿子留下自由、快乐的空间。在现实生活中,马天笑们这类男人其实很稀缺,你是不是太理想化了?

杨:现在的家长,普遍是有爱心,没有童心。做有童心的爸爸妈妈,对孩子来说,是一种福气。马小跳有一个"贪玩老爸",有一个"天真妈妈",所以他能够成为一个真正的孩子。像马小跳爸爸这样的男人,在现实生活中肯定有,而这种童心未泯的男人往往容易成功,因为他们身上具备成功的因素,比如真诚,比如想象力,比如坚持性……

李:其实,我一面觉得你很理想化,一面又觉得你在快乐故事中包藏了许多尖锐的东西。比如,马小跳被人们将其视为"坏孩子"的成见所笼罩,满腔热情的他在学校里遭遇的种种"冷落"、"委屈"和"不公",最终都是他以自己快乐和无所谓的天性自己摆平的，而于教育者方面，则是"自以为是"，而后就任一个孩子"自生自灭"。你仿佛是一笔带过，我看了只觉得辛酸和无奈。你觉得"把快乐还给孩子"是可能的吗？

杨：读马小跳能够读出辛酸又无奈的感觉，我要对你说声"谢谢"。同样的感觉，有一位年轻的女校长也对我说过。我视你们为知音，而且心存感激。马小跳的童年，不是一味的无忧无虑，他有困惑，有委屈，有郁闷……但我赋予了他幽默快乐的性格，这就找到了一种消解的方式，其实这是一种积极的人生态度。

李："淘气包马小跳系列"推出后，你配合出版社做了一些营销活动，比如签名售书，你有否遭遇给你留下深刻印象或给予你深深触动的孩子和家长？你觉得这样的活动对你的创作有怎样的影响？

杨：前些时候，我去江南几个城市做巡回签书活动。在南京，电台给我做了一个专题节目，主持人问我：你知道你在南京的小读者中，影响有多大吗？接着，她放了一段记者去各个学校采访的录音，几乎被采访的每一个同学，都读过我的书，有不少同学还读过不止一本。这使我感到很意外。我知道我在北京、杭州、成都的影响蛮大的，但没想到在南京也这样。最近，全国各地都出现了我的盗版书，有的小读者写信来告诉我，有的把盗版书寄给出版社，成都实验小学的小读者还编了小品来演，号召同学们抵制我的盗版书,这都是使我挺感动的事情。从 2000 年开始,我在全国各地做了很多场读书活动,在跟小读者面对面的交流中,我听到了他们对我的希望,对我的要求,这对我的创作来说,有决定性的影响,因为我就是为他们而写作的。

李:看到有一次你在答记者问的时候说,随着你的小说在校园中流行,你有了一大批"铁杆"小书迷。其中有一些男孩子和女孩子会把他们心中的秘密、不愿跟爸爸妈妈说的事情,写信告诉你。给孩子回信已经成为你生活中重要的、必需的一部分。可否在不侵犯孩子和你的隐私的情况下,给我们举一两个实例?

杨:我的"铁杆"小书迷不仅遍布全国的各大城市,连一些中小城镇也有,比如像东北的丹东、大庆,内蒙古,河南的新密、中牟,四川的邛崃、雅安、自贡、广元……这些地方的"铁杆"小书迷,他们读过我的每一本书,熟悉书中的每一个人物。几乎每天我都会收到小书迷的来信,我把这些来信按不同的地区,分别装在几个精美的盒子里,它们都是我的宝贝。抱歉的是,有些写得非常动人的信,我不能够公开,这些心中的秘密和成长中的困惑,多集中在与父母之间的沟通有障碍、师生关系不平等、男生对某个女生的评价或女生对某个男生的评价……

李:你的"校园小说系列"《女生日记》、《男生日记》、《五·三班的坏小子》、《漂亮老师和坏小子》纷纷被改编成电影、电视剧,那么"淘气包马小跳系列"呢？

杨：中国电影集团已经把"淘气包马小跳系列"十二种的电影、电视剧、动画片的改编权全部买断，他们看中的就是"马小跳"这个形象。

李：我知道你有一个女儿，为什么没有写一个女孩子的系列，而要去写一个男孩子的系列？

杨：因为没有儿子，所以特别想有一个儿子。我常常想，如果我有一个儿子，他会是一个什么样的男孩子？他不必漂亮，但一定要健康；他不必聪明，但一定要幽默；他可能是淘气的、麻烦的，但他必须是诚实的、勇敢的。最重要的，他必须是快乐的——这就是马小跳！

杨红樱答小读者问

问：我和同学、爸爸妈妈还有老师都特别喜欢马小跳，我想知道马小跳是真实的，还是你虚构的？如果现实生活中真的有马小跳，我一定要和他做朋友。——甘肃省兰州市安宁区十里店小学五（3）班 张儒尧

答：马小跳是我虚构的一个艺术形象，但任何一个被广泛认同的艺术形象都能在现实生活中找到他的影子，他就像生活在你身边的一个同学或一个朋友。马小跳这个人物形象，实际上是我熟悉的几个男孩子的集合体，我把他们身上最能体现出孩子天真无邪、自由快乐的天性都集中在马小跳的身上，所以马小跳能走进千家万户，能跳进孩子们的心里，就因为他是真正的孩子。

问：在你的想象中，马小跳长大后，会是一个什么样的人？——吉林省白城实验小学 王超

答：马小跳是个淘气包，他身上有这样那样的缺点，每天错误不断，但他诚实、勇敢、快乐，有爱心，有责任心，还有我特别看重的一种品质——幽默感，我想这种本质很好的孩子长大以后，

会是一个顶天立地的男子汉。

问:您笔下的孩子都很快乐,令我们无比羡慕。但是现实中的孩子却有许多的烦恼,想快乐也快乐不起来,怎么办? ——江苏省宝应县桃园小学　周尧

答:我一直认为快乐是一种能力,是一个人可以面对一切遭遇的能力。我笔下的孩子跟现实中的孩子一样,也有成长的烦恼,也有不被成人理解的委屈,还有种种的无奈,但是他们有能力让自己快乐起来,这就很了不起。成长过程的最佳状态是快乐。

问:我非常喜欢《贪玩老爸》这本书中的马天笑先生,现实生活中真的有这样的爸爸吗? ——浙江省台州市温岭县　阳阳

答:马天笑这个人物的生活原型应该是我的爸爸,他有童心,有生活情趣,喜欢玩,可以玩得花样翻新。我小时候是一个并不出色的孩子,他对我没有太高的期望值,我是在一种宽松自然的教育下长大的,所以我的童年快乐、自由,可以做自己想做的事情。

问:当作家是你小时候的梦想吗?——山西省古交市西山十八校五(5)班　杨珊珊

答:我小时候作文写得好,经常被老师当做范文在班上念。

尽管那时候就有同学说我长大了会当作家，但我自己却从来没这样想过。从小我就喜欢孩子，我想当老师可以天天跟孩子在一起，所以我那时的梦想是当老师。在我十八岁那一年，我真的成为了一名小学老师。直到现在，我都非常崇拜这个职业，而且，我把我当老师的那七年经历，看做是我人生中最辉煌、最值得回味的一段经历。

问：你塑造的老师形象，比如《漂亮老师和坏小子》里的米兰老师、《神秘的女老师》中的蜜儿，写的就是你自己吗？——四川省成都市高新实验小学五(2)班　张怡

答：在米兰和蜜儿的身上，有我当年做老师时的影子，有些故事也是在我和我的学生之间发生的。在创作这两个人物形象时，我是把做老师的感悟，还有对教育的所有的理想，全都寄托在米兰和蜜儿的身上，让她们去一一实现。我认为作为一个好老师的一个很重要的标准，就是学生是不是喜欢你。

问：你是怎么写出《宠物集中营》来的？是不是因为你养了许多宠物？——广东省深圳市布吉镇丽湖花园　徐榆雯

答：养宠物是要对宠物负有很大的责任的。尽管我很喜欢宠物，因为经常出差，我没有养过宠物。在写《宠物集中营》前，我经常去一家宠物医院，观察在那里接受治疗的病狗病猫。没有这种体验，我想我是写不出这本书的。

问：你喜欢什么样的动物？——广东省广州市海珠区　赖敏立

答：在野生动物里，我最喜欢老虎，它非常漂亮，仪态高贵威严。老虎是一种不合群的动物，孤独地穿行在密林中，给人一种苍凉的美感。在宠物里，我最喜欢大型狗，比如纯种的德国牧羊犬，它看起来剽悍威猛，眼神却异常的温柔。这种狗善解人意，跟它在一起，会感到很温暖，很安全。

问：我们小孩子都非常爱读你写的马小跳的书，从这些书里我们学到了许多做人的道理和许多的科学知识，为什么有些家长却认为这样的书是闲书，不让我们多读？——河北省唐山市路北区　郑若琪

答：因为没有读，对这些书并不了解，所以有误解——对书的误解，对自己孩子的误解。也有的家长做得很好，他们会和孩子一起阅读，从中发现孩子"为什么喜欢"，这是对孩子的尊重。我一直希望我的书，能够在孩子与成人之间架起一座沟通的桥梁。

问：你已经把马小跳、唐飞、张达、毛超四个男孩子都写活了，你为什么总是那么喜欢写男孩子？——湖北省枣阳市第二实验小学　刘鲜睿

答：如果你仔细读完我所有的书，你会发现我也写了很多女

孩子:漂亮女孩夏林果、笨女孩安琪儿、疯丫头杜真子、马小跳的同桌冤家路曼曼,还有《女生日记》中的冉冬阳,最近出的一本新书《假小子戴安》,写的就是一个十分特别的女孩子。

问:为什么读了"淘气包马小跳"这套书以后,我感到写作文容易多了? ——新疆乌鲁木齐市 余晓戈

答:写作文最难的是感到"没什么可写"。马小跳是个普通的孩子,我写的都是他每天经历的平凡小事和他身边的平凡人物。有很多小读者读了这套书后恍然大悟:原来生活中的许多事和许多人都可以写进作文里。作文有内容可写,当然就容易多了。

问:以前,我以为漫画书是世界上最好看的书,自从读了"淘气包马小跳"后才知道,文字书也很好看。现在,连我的爸爸妈妈也喜欢看这套书了,他们喜欢马小跳淘气、可爱的样子。你还会把这个系列继续写下去吗? ——北京市海淀区太平路小学四(1)班 杨京钰

答:马小跳是我最珍爱的一个儿童形象,我是想通过他艺术地再现我们中国儿童的生活现实和心理现实,再现他眼睛里的成人世界,这应该是一个很长的系列,对我来说,也是一个漫长的写作过程。我希望我的马小跳能伴随所有的孩子快乐成长,希望我的马小跳能成为"捍卫童年"的形象代言人。

与马小跳过招

1. 马小跳刚出生时的名字是（　）
A. 马小跳　B. 马小骥　C. 马小骏
2. 马小跳最喜欢的女生是（　）
A. 路曼曼　B. 安琪儿　C. 夏林果
3. 马小跳最喜欢的老师是（　）
A. 美术课老师林老师　B. 班主任秦老师
C. 科学课老师轰隆隆老师
4. 马小跳的铁哥们儿是（　）
A. 张达　B. 唐飞　C. 毛超
5. 马小跳的同桌冤家是（　）
A. 路曼曼　B. 杜真子　C. 夏林果
6. 丁文涛的口头禅是（　）
A. "我告诉你"　B. "你懂不懂"　C. 说成语
7. 马小跳最不喜欢的女生是（　）
A. 路曼曼　B. 杜真子　C. 安琪儿
8. 马小跳最不喜欢的男生是（　）
A. 林子聪　B. 丁文涛　C. 张达
9. 马小跳的最爱是（　）
A. 班主任秦老师　B. 爸爸马天笑　C. 妈妈丁蕊
10. 天真妈妈最喜欢的花是（　）
A. 百合花　B. 玫瑰花　C. 菊花

11. 丁文涛最喜欢送给别人作为礼物的花是（　）

A. 百合花　B. 玫瑰花　C. 菊花

12. 教马小跳学魔术的是（　）

A. 爸爸马天笑　B. 舅舅丁克　C. 科学课老师轰隆隆老师

13. 天真妈妈是（　）

A. 玩具设计师　B. 橱窗设计师　C. 医生

14. 韩力哥哥是（　）

A. 玩具设计师　B. 橱窗设计师　C. 医生

15. 安琪儿的爸爸最喜欢（　）

A. 篮球　B. 足球　C. 网球

16. 马小跳为妈妈做的一顿饭是（　）

A. 三明治　B. 汉堡包　C. 土豆沙拉

17. 杜真子给"四个小矮人"做的一顿饭是（　）

A. 三明治　B. 汉堡包　C. 土豆沙拉

18. 马小跳为妈妈熬的汤是（　）

A. 棒子骨汤　B. 排骨汤　C. 鸡汤

19. 喜欢杜真子的是（　）

A. 张达　B. 唐飞　C. 毛超

20. 废话大王是（　）

A. 张达　B. 唐飞　C. 毛超

21. 成语大王是（　）

A. 马小跳　B. 丁文涛　C. 杜真子

22. "马小跳"的销量已突破（　）

A. 1400 万册　B. 1500 万册　C. 1600 万册

23. "马小跳"的作者杨红樱阿姨曾经当过（　）

A. 小学老师　B. 中学老师　C. 大学老师

24. 出版"马小跳"的出版社是（ ）

A. 接力出版社 B. 中国少年儿童出版社 C. 作家出版社

25. 正把"马小跳"拍成电影、电视连续剧、动画片的是（ ）

A. 中影集团 B. 中央电视台 C. 北京电视台

请认真答题（可多选），并将以下答题纸沿虚线剪下寄至编辑部，凡答对20题以上的读者均有机会参加抽奖（请在信封上标明"马小跳试题答卷"）。

此外，将收集到的6张马小跳卡通形象（见每册书后所赠标有"抽奖用"字样的不干胶马小跳卡通形象，撕下贴在一张纸上)寄到编辑部的读者，同样有机会参加抽奖。

编辑部将截至2009年4月30日和截至2009年10月30日（以邮戳日期为准）分两次进行抽奖，每次随机抽出一等奖5名，各奖励价值100元的图书；二等奖20名，各奖励价值30元的图书；三等奖30名，各奖励价值15元的图书；纪念奖若干名，赠送精美卡片。

☆☆☆☆☆来信请寄：100027 北京市东二环外东中街58号美惠大厦3单元1203室马小跳编辑部收。请注明详细地址、邮编和姓名。给杨红樱阿姨的信请寄：100025 北京市朝阳区姚家园路97号泛海国际碧海园3号楼1单元1102室，或从网上直接传给杨阿姨，电子邮箱是：yhy62@163.com。

马小跳编辑部

"马小跳"试题答卷

1	2	3	4	5	6	7	8	9	10	11	12	13

14	15	16	17	18	19	20	21	22	23	24	25	

读者来信选登

　　杨红樱阿姨：您好！我读过您的所有作品。我是一个男孩，向往自由！我现在像一个关在笼子里的小鸟，看着蓝天，希望有一天可以自由自在地飞。近年来，大多数孩子得到的是幸福，失去的，还是幸福！得到的是娇生惯养的幸福，失去的是自由自在享受大自然的幸福！如果我有能力，我会向全世界发表一篇"童心"的文章。杨红樱阿姨，您是大人中最了解孩子的人，我希望您能写一本给父母看的那种理解孩子的书！

　　　　　　——山东省嘉祥县实验小学六(4)班　宋祯琨(272400)

　　我是一个初三毕业班的学生，对于是否写这封信我犹豫了好久。可是，我急于想把看完"马小跳"后的心情告诉你们，最后还是下决心写了这封信，可见"马小跳"的魅力有多大，连我这个快初中毕业的学生也忍不住来"插一脚"。

　　当初在班上看这本书时，许多同学都笑我白痴。可当有人看我这么入神地抱着《四个调皮蛋》时，他也成了"白痴"。他本来只想看看这本书到底有什么可吸引我的地方，可没想到也成了"马小跳"迷，并把"马小跳"介绍给整个班级的同学。终于，一场浩浩荡荡的"马小跳运动"在全初三掀起。最后那本《四个调皮蛋》转了一大圈才回到我手上，害得我被那个借书给我的小弟弟狠狠"训"了一顿。至此,"马小跳",用句不恰当的话说,成了全初三的"大众情人"。

《四个调皮蛋》中有一节《野营计划泄露天机》,那几个爸爸对童年的心情也反映了我们这些"老学生"的心情,虽然我们还远远没有到当爸爸的年龄,虽然我们距离童年只有三年,可童年还是离我们远去了……

幸好,有杨红樱阿姨这样为我们孩子写作的作家,有了这些"杨红樱"阿姨们,童年与我们的距离将不再遥远!

——安徽省合肥市第三十二中学九(4)班 俞思浩(230051)

我很想参加"收集马小跳卡通形象"的活动,可因家庭经济情况而不能实现! 现在,我终于东拼西凑,买了六本"淘气包马小跳系列",如愿以偿,给你们寄去。愿马小跳给我带来幸运!

——湖南省泸溪县白沙小学六(3)班 李雪松(416100)

我是"淘气包马小跳系列"的忠实读者,如果需要演电视剧可以来找我啊! 我可以演夏林果或者路曼曼。如果她们有了合适人选,我演安琪儿也可以!

——辽宁省抚顺市顺城将军一校五(1)班 付航潞(113001)

杨红樱阿姨写的"马小跳"我太喜欢了,我太喜欢杨红樱阿姨,她是我的快乐天使,我真想见她一面!

——辽宁省抚顺市前甸镇中心小学四(1)班 宋迪(113103)

放寒假的一天,我带女儿上书店买书。我让她自己选,她选了三本"马小跳"。回到家后,她就认真地读了起来,读着读着,竟不时地笑出声来!我也好奇地拿起书,发现这几本书写得实在是太好了,把儿童的纯真、顽皮、可爱写得活灵活现!两天不到,女儿已把三本书都读完了!在她的软磨硬泡下,我又去书店把"淘气包马小跳系列"的另几本书也买了回来。我在这里真诚地感谢杨红樱给儿童写了这么多好看的书!

——宋迪家长　王宜芝

尊敬的杨阿姨:您好!这是我第一次给您写信,有些紧张,如果写得不好,希望您不要见怪。我十分喜欢"马小跳",但也有一些不太明白的地方。您为何不把马小跳写成女孩?您又是如何想到关于马小跳的事情呢?您怎么想到要写这套书的?听说您有个女儿,是不是可以给我寄一张她的照片呢?当然,我还希望知道您的生日是什么时候!

——湖北省十堰市东风公司机关小学六(3)班　罗姝鋈
(442000)

"马小跳"使我恢复了活泼的天性。为什么这么说呢?因为我上五年级了,天天待在"压力舱"里,"学习"这座大山压得我喘不过气来,更没时间玩。渐渐地,生性活泼、乐观的我变得脾气暴躁,很内向!期末,我考了不错的成绩,妈妈答应给我买杨阿姨的书,我很高兴,希望能够兑现!

——山西省大同市拥军北路新桥西 7 - 2 - 11　田瀚霖
(037005)

我叫朱一迪,听我的名字怎么样,跟"朱"一样,同学老骂我"猪",我运气比马小跳还要差呢! 我也是位男生,看过《四个调皮蛋》、《同桌冤家》、《天真妈妈》等好多本,其中一本还是去上海买的! 我每买到一本书或借到一本书,都热泪盈眶,因为我很少能得到这样好看的书! 在这里我也谢谢杨红樱阿姨,因为她给我们带来了快乐!

　　——江苏省启东市第一实验小学六(1)班　朱一迪(226200)

　　"马小跳"这套书是一个三十多岁的阿姨推荐给我的,她都三十多岁了,看这套书还哈哈地笑出声来! 经不住诱惑,我也买了! 如今是一发不可收拾。只是《丁克舅舅》在庆阳买不到,我每次去书店只得到一句话:"没了!"所以,到现在我还没买到!

　　听说"马小跳"要拍成电视剧,如果是真的,你们一定要到我们这里选演员,我想演夏林果!

　　——甘肃省庆阳市西峰中学初二(4)班　李丹(745000)

　　杨红樱阿姨:嗨! 我又给你写信了。我是杨睿,你还记得我吗? 能成为幸运读者,我很兴奋,因为我没得过什么荣誉,这是第一次! 周岩也给你去过信了吧? 其实他是我的同学。你给他的回信,周围一大堆人都争着想看,那天我们快乐极了!

　　——河北省保定市永华南路小学六(3)班　杨睿(071000)

　　我是一个学习不怎么样、家里没有什么书的小女孩。我读完杨红樱阿姨的书,作文水平有了很大的提高。我很喜欢

《小大人丁文涛》，因为里面写的许多事，太像我弟弟了！另外，我们班就有像马小跳的男孩和他的铁哥们。我已经读了六本关于马小跳的书了，整个人都变得快乐了！

　　——河北省保定市永华南路小学六(3)班　芦雪(071000)

　　我读了五本"马小跳"，觉得路曼曼真讨厌，不就是个中队长嘛，用不着管马小跳那么严，真烦人！她有时对丁文涛说话也那么目中无人！夏林果就不同了，我要是马小跳，我也喜欢她！安琪儿虽然又笨又丑，但她善良，又时刻支持马小跳，我最喜欢她！

　　——山东省莱阳师范附属小学五(4)班　修珺(265200)

　　"马小跳"我已经全部看完了，内容很丰富，语言很生动，非常的精彩，我非常喜欢！这里面充分表现了人物的特点，比如马小跳淘气、夏林果漂亮、安琪儿笨拙、唐飞贪吃等等，真是栩栩如生！

　　——山东省东营市河口一小五(4)班　黎浩然(257200)

　　一天，我在书桌边看马小跳，看着看着，忍不住哈哈大笑起来，结果，在外面看电视的爸爸妈妈就冲进我的房间，看到我还在不停地哈哈大笑，差点把我送到医院去了！我也很想看续集，希望杨红樱阿姨能把新书快点写出来哦！

　　——辽宁省沈阳市大东区联合路辰宇新村　刘畅(110044)

　　我非常喜欢马小跳，可能由于我姓马的缘故吧！在这套书中，我看到了自己，自己也像马小跳，整天发生一系列古怪的事情！我几乎对号入座，把身边的人物融入了那个场景，书中的故事像真的一样！从幼儿园到现在，我看了许多书，但没有像"淘气包马小跳系列"这样的！

——福建省长汀县第四中学初一（13）班　马顺健（366300）

我觉得我非常像路曼曼，我的同桌就像马小跳！我在班上是学习委员，老师让我监督他。"马小跳"非常吸引人，我们许多同学都爱看！

——浙江省宁波市江北区中心小学402班　薛诗雨
（315020）

刚开始我只是闲着无聊跑到书店买了本《宠物集中营》，我做梦也没想到会这么有趣，这本书一下就把我迷住了，后来我拿压岁钱全部买了"马小跳"！这个马小跳也害得我够呛！上课时我忍不住看，因为书中情节太有趣，老师讲课时我竟然大笑起来，结果自然是受到了老师的批评！

——河南省新野县城关镇朝阳小学六（2）班　田地（473500）

我是刚看的"淘气包马小跳"，因为我们班每个人都看（除了我），有的甚至上课也在看。一次，一不小心被老师发现了，老师开始很生气地把书没收了，但下课后老师自己抱着这本书哈哈大笑起来，现在连老师自己也在看呢！我特别喜欢《暑假奇遇》，最喜欢的片段是《一头有理想的猪》和《滑板和溜冰鞋》，希望能把全部"马小跳"看完！

——浙江省绍兴市塔山中心小学四（4）班　黄秋韵（312000）

马小跳书迷会

相约马小跳　共度好时光

　　各位同学和朋友可以写信至北京市东二环外东中街58号美惠大厦3单元1203室马小跳编辑部收（100027）或发电子邮件至 yr1001@sina.com，将自动成为"马小跳书迷会"会员。申请成为会员必须提供以下个人资料：

姓名：＿＿＿＿＿＿　性别：＿＿＿＿＿＿　年龄：＿＿＿＿＿＿

文化程度（几年级）：＿＿＿＿＿＿＿＿＿＿＿＿＿＿

联系电话（如果有的话）：＿＿＿＿＿＿＿＿＿＿

E-mail（如果有的话）：＿＿＿＿＿＿＿＿＿＿＿

详细地址（含邮编）：＿＿＿＿＿＿＿＿＿＿＿＿

爱好（或特长）：＿＿＿＿＿＿＿＿＿＿＿＿＿＿

"马小跳书迷会"会员享有以下权利：

　　1. 有机会参加每半年举行一次的抽奖（每次截止时间为4月30日和10月30日，每年5月和11月分两次抽奖），获赠接力版新书一册（每次有20人成为幸运会员）。

　　2. 有机会获得其他会员的相关信息，并和他们交朋友，互相学习，共同提高。

　　3. 有机会和"马小跳"作者杨红樱阿姨联系。杨红樱阿姨的电子邮箱是 yhy62@163.com。由于来信太多，杨阿姨将重点给"马小跳书迷会"会员回信。

　　4. 参加"与马小跳过招"的各种活动，详见"淘气包马小跳系列"每本书的最后几页。

　　5. 有机会亲身参加"马小跳书迷会"的所有活动。

收集马小跳卡通形象及马小跳试题答题抽奖获奖名单

（截至2008年10月30日）

一等奖 5 名：

  杨瀚淇　北京市中关村第三小学二（11）班（100091）

  张钰寅　上海市杨浦区六一小学四（2）班（200438）

  穆秋衡　天津市和平区岳阳道昆鹏小学双语四（1）班（300000）

  李天宁　广西南宁市民主路小学四（1）班（530000）

  荣辰初　安徽省含山县环峰小学三（2）班（238100）

二等奖 20 名：

  罗慧琳　广东省深圳市梅园小学四（2）班（518045）

  杨依然　陕西省紫阳县城关小学三（2）班（725300）

  何明峰　四川省成都市成华区双林小学三（4）班（610066）

  刘若晨　河北省任丘市华北石油局机关小学三（1）班（062552）

  郑月华　重庆市双桥区双路小学五（4）班（400900）

  李　宁　江苏省连云港市赣榆县实验小学二（7）班（222100）

  王泽远　河南省信阳市胜利路小学三（7）班（464000）

  刘书博　内蒙古通辽市奈曼旗实验小学三（1）班（028300）

  范巍晟　新疆石河子市 14 小区第三小学二（3）班（832000）

  邵伟逸　贵州省金沙县第二小学六（6）班（551800）

  张子玉　辽宁省普兰店市实验小学三（3）班（116200）

  张恒睿　山东省济宁市黄家小学三（3）班（272000）

  丁思萱　吉林省松源市油区钻井小学二（6）班（138000）

  詹　晨　宁夏银川市回民三小五（2）班（750001）

  李　昊　黑龙江省大庆市龙南小学三（2）班（163000）

  童璟铭　福建省永安市实验小学三（1）班（366000）

  陈郁佳　湖北省荆门市实验小学五（7）班（448000）

  熊瑞锦　湖南省安化县梅城完小 155 班（413522）

  连子墨　浙江省玉环县陈屿中心小学二（1）班（317604）

  钟佳倩　江西省大余县东门小学二（11）班（341500）

三等奖 30 名、幸运奖 520 名（名单略）

温 馨 提 示

亲爱的小读者：

　　杨红樱阿姨创作的"淘气包马小跳系列"图书出版后深受小读者、家长和老师的欢迎与喜爱，但最近我们发现，有不少非法书商或疯狂盗印"马小跳"，或假冒杨红樱阿姨之名非法出版"马小跳"伪书，严重损害了杨红樱阿姨、接力出版社和读者的合法权益。提醒大家注意：

　　1. 千万不要买盗版"马小跳"

　　接力出版社出版的正版"马小跳"图书，环衬均采用接力出版社特制水印防伪专用纸，这种专用防伪纸迎光透视可看出接力出版社社标和专用字。凡是没有特制水印防伪专用纸者均为盗版或伪版。

　　2. 千万不要买"马小跳"伪书

　　这类伪书是用东拼西凑的文稿冒充"淘气包马小跳系列"新书，或者把别的作家、作者的书稿改换其中的人名、地名等，署上杨红樱阿姨的名字，欺骗读者。目前已发现的"马小跳"伪书有：《马小跳要换牙齿了》、《快乐马小跳》、《夏林果的幸福感觉》、《丁克舅舅的神奇魔法》、《两盒巧克力》、《两盒巧克力豆》、《想当模特的安琪儿》、《奥数天才路曼曼》、

《校园改造计划》、《小个子马小跳》、《杜真子的梦想》、《马小跳当模特了》、《神奇的听诊器》、《神秘失踪》、《捣蛋也精彩》、《马小跳的"鬼点子"》、《马小跳的哥们儿》、《班长丁文涛》、《唐飞的影子》、《笨小子张达》、《路曼曼的开心生活》、《学校里的风波》、《杜真子的手机》、《体会成长的滋味》、《淘气包的暑假计划》、《人小鬼大的马小跳》、《心直口快的马小跳》、《神奇的睡帽》、《马小跳的秘密》、《天才马小跳》、《幸福的夏林果》、《安琪儿变漂亮了》、《孤单的路曼曼》、《杜真子的伙伴》、《背叛的夏林果》、《学校的乐团》、《奇怪的杜真子》、《马小跳的生日会》、《摄影的魅力》、《厚脸皮的马小跳》、《马小跳的第一个零分》、《和林老师的合约》、《做个勇敢的孩子》、《天真女孩路曼曼》、《杜真子的秘密》、《恐怖的网络》、《马小跳的梦想》、《课外学习班》。

3. 千万不要买所谓的"马小跳"合集、超值本、精华本、珍藏本

这类书是把"马小跳"的其中几本合成一本，字号特别小，文字排得很密，插图较小，错漏百出，影响视力。杨红樱阿姨迄今为止从未授权出版此类"马小跳"合集、超值本、精华本、珍藏本。

小读者发现伪书和盗版书后可以向当地新闻出版管理部门举报，也可以给接力出版社打电话：010-65545240 0771-5866644。

图书在版编目（CIP）数据

巨人的城堡/杨红樱著 . —南宁：接力出版社，2005.8
　（淘气包马小跳系列）
ISBN 978-7-80679-951-2

I. 巨…　II. 杨…　III. 儿童文学-长篇小说-中国-当代　IV. I287.45

中国版本图书馆 CIP 数据核字（2007）第 010129 号

责任编辑：余 人　　封面设计：郭树坤
责任校对：蒋强富　　责任监印：梁任岭　　媒介主理：马　婕

社长：黄　俭　　总编辑：白　冰
出版发行：接力出版社
社址：广西南宁市园湖南路 9 号　　邮编：530022
电话：0771-5863339（发行部）　010-65545240（发行部）
传真：0771-5863291（发行部）　010-65545210（发行部）
网址：http://www.jielibeijing.com　　http://www.jielibook.com
E-mail: jielipub@public.nn.gx.cn

经销：新华书店

印制：三河市宏达印刷有限公司
开本：787 毫米×1188 毫米　　1/32
印张：5.5　　字数：90 千字
版次：2005 年 8 月第 1 版　　印次：2009 年 1 月第 19 次印刷
印数：860 001—890 000 册
定价：13.80 元